Ländliche Winterkomödie

BERNT von HEISELER

 **Ländliche**

Winterkomödie

Edited by ERICH G. BUDDE

Boston University

HOLT, RINEHART AND WINSTON, NEW YORK

39075-0111

Printed in the United States of America

INTRODUCTION

BERNT VON HEISELER was born June 14, 1907, in Brannen-
burg am Inn, Oberbayern, the son of Henry von Heiseler, a
distinguished Russo-German writer. Young Heiseler attended
school at Neubeuern and Rosenheim where he came under
the influence of Josef Hofmiller, the essayist and critic about
whom he later wrote most engagingly in *Ahnung und Aussage*,
a collection of essays in which he also discusses the work and
personalities of other literary figures such as Stefan George,
to whose circle his father belonged, the great humanist Rudolf
Alexander Schröder, Hans Carossa and Ernst Jünger, to name
only a few of the contemporary authors with whom he dealt.

After studying philosophy and literature for a time at the
universities of München and Tübingen, Heiseler decided to
embark on a literary career. He has since notably distinguished
himself in the fields of lyric poetry, the essay, the novel, and
the drama.

Bernt von Heiseler is a Christian writer with an abiding
faith in the spiritual resources and the ultimate redemption
of mankind. This is apparent in all his works. A touch of
sadness overcome by gentle reconcilement is especially charac-
teristic of his lyric poetry. In his volume of poems entitled

Spiegel im dunklen Wort[1] we read under the heading *Zu einem Bild von Hieronymus Bosch:*

> Wilde Phantasiegestalten
> Mußt sie nicht für sinnlos halten;
> Welt verwirrt sich wie im Traum.
> Angst bedrängt uns, Angst und Wehmut-
> Doch der Heiligen kühne Demut
> Rührt an Gottes Mantelsaum.

In his drama *Das Haus der Angst oder der Goldene Schlüssel* Bernt von Heiseler gives a clear Christian answer to the fears and anxieties of modern existentialism. The content, which is based on the old Bluebeard myth, is not in itself Christian, a fact which makes this presentation of his view all the more adroit.

Heiseler's dramas cover a wide range of interest. In *Das laute Geheimnis* and *Semiramis*, the poet reworks motifs of Calderón; while in his charming comedy *Des Königs Schatten* Carlo Goldoni served as his model. A German saga supplies the material for *Der Bettler unter der Treppe* which tells of the fate of a medieval veteran returning home from the crusades. The drama *Caesar*, a frank and courageous criticism of National Socialism brought Heiseler into conflict with the National-Socialistic regime and, after highly successful performances in Hamburg and Berlin, this drama was banned by the Propaganda Ministry. Human freedom, the dignity of man, and the necessity of truth, in spite of all considerations of expediency is the theme of Heiseler's following work, a stirring treatment of Sophocles' great drama *Philoktet*. His most ambitious dramatic undertaking the *Hohenstaufentrilogie*, comprises *Die Stunde von Konstanz, Kaiser Friedrich*

---

[1] *Spiegel im dunklen Wort.* Ehrenwirt Verlag, München 1949. This little volume contains selections of his poetry. In 1935 his poems appeared in the volume *Wanderndes Hoffen,* and other songs, ballads and hymns are contained together with his early plays in *Kleines Theater* (1940).

der Zweite and *Der Gefangene* (who is the imprisoned Enzio, Friedrich's son.).

Among Heiseler's short stories, *Vera Holm* (1929), *Katharina* (1938), *Apollonia* (1940), and *Das Ehrenwort* (1942) are best known[2]. Heiseler also wrote three novels, the earlier of which, *Die Gute Welt* is a Tyrolean peasant novel in the style and manner of Johann Peter Hebel and Jeremias Gotthelf, who, like Heiseler, believed deeply in the ultimate victory of good over evil. The second novel, *Versöhnung* has justly been ranked with Galsworthy's great *Forsyte Saga* and Thomas Mann's *Buddenbrooks*. Here the author sums up his point of view in regard to the tragedy that has befallen our age : ,, Was geschehen ist, Schuld, Not und Verhängnis, kann nicht aus Menschenkraft, es kann allein in der Nähe des Kreuzes versöhnt werden : das ist es, was der Roman nicht so sehr als eine Meinung vorträgt, als vielmehr in seinen Gestalten vor Augen bringt. " His third novel *Der Tag beginnt um Mitternacht* Heiseler dedicated to the city of Berlin, the apocalyptic fate of which forms the background for a tragic and bitter marriage conflict.

The drama *Ländliche Winterkomödie* was first performed in Munich in 1952. It is not a comedy in the true sense of the word. Unlike Heiseler's other plays which are written in iambic verse, this drama is in the prose-idiom of every-day speech. A social drama, the action of which takes place on an estate in the Bavarian countryside, it is a witty and rather touching commentary on daily life — a refreshing and welcome departure from the ironic and sinister nihilism, the involved symbolism and the drab existentialism which underlies the philosophy of so many other contemporary writers.

---

[2] Heiseler's Erzählungen since 1928 are collected in the book *Die Unverständigen* (1936). *Apollonia* appeared as vol. 10 of Langen-Müller's *Kleine Geschenkbücher*, München (1954). *Katharina* and *Das Ehrenwort* (Mit Federzeichnungen von Gerhard Ulrich) by C. Bertelsmann, Gütersloh (1954).

„ Das heimlich Leuchtende muß man aufspüren. Und muß es so geben, daß die Menschen nicht denken können : , Recht schön, aber die Wahrheit ist anders ' — sondern, daß sie merken : , Ja, so ist's! Das ist erst die Wirklichkeit. ' "

The changes required to adapt the play for textbook purpose are minimal. They consist chiefly of replacing certain dialectic constructions and word forms. Nonetheless, the local flavor of the piece is retained and every effort has been made to preserve its charmingly simple yet cultivated country atmosphere.

The editor wishes to express his thanks to the Bertelsmann Verlag in Gütersloh for permission to publish the *Winterkomödie* as a textbook, and to Mr. von Heiseler for his kind co-operation in supplying the biographical material.

Erich G. Budde,
Boston University

Ländliche Winterkomödie

,,Nimm ein heitres Wesen an!" —
,,Ja, mein Herr! so gut ich kann."
Mozart, *Bastien und Bastienne*

PERSONEN

NANNA WOLPERT, *Gutsherrin*
THERESE, *ihre Tochter*
SIXTINA UNFALT
FRAU HEDRICH
CHRISTIAN KIENLECHNER, *genannt ,,Kienspan", ein Maler*
WACHINGER, *Gutsbaumeister*
STUHLREITER, *Polizeiwachtmeister*
KINDER *im Fastnachtsputz*

Um die Mitte des 20. Jahrhunderts auf einem Gut
im bayerischen Hinterland

ERSTER AKT

*Das Wohn- und Eßzimmer, in dem alle Vorgänge des Stückes
sich zutragen. In der Rückwand zwei Fenster. Rechts Tür vom
Vorplatz, links vorn zur Küche, links hinten ins Zimmer der
Hausfrau. In der Ecke links grüner Kachelofen, in der Ecke*
5 *rechts runder Tisch mit Stühlen. Zwischen den Fenstern ein
männliches Ölbildnis, den verstorbenen Gutsherrn Wolpert dar-
stellend. Die ganze Einrichtung etwas ländlich altmodisch, sehr
wohnlich und bequem.*
  Dämmerung eines Winterabends. NANNA WOLPERT, THERESE
10 *und die alte* SIXTINA UNFALT *sitzen wäsche- und strümpfestopfend um den runden Tisch.* NANNA *ist eine schöne, volle,
braunblonde Frau um die vierzig,*[1] *schwarz gekleidet; ihre
Tochter* THERESE *ein siebzehnjähriges, noch kindhaft wirkendes
Wesen,*[2] *überschlank, etwas blaß;* SIXTINA *weißhaarig, über ihre*
15 *Arbeit gebeugt. Eine Zeitlang arbeiten alle drei schweigend; auf
einmal platzt* THERESE *los, in einem langen, herzlichen Lachen.*

---

[1] *Frau um die vierzig (Jahre):* woman about forty.
[2] *ein siebzehnjähriges, noch kindhaft wirkendes Wesen:* a seventeen-year-old,
still childlike creature.

NANNA

Thereserle, was ist denn?[3]

THERESE

Ich weiß nicht—irgendwie ist's komisch, daß jetzt dieser
Maler kommt und mit uns leben soll in der Einsamkeit—!

NANNA

Warum komisch? Die Maler müssen doch auch irgendwo
leben können—oder nicht?—ohne daß es komisch ist.   5

THERESE

Es ist nicht wegen Maler. Malersein denk' ich mir recht
schön.—Aber was soll man denn mit ihm reden? Es ist
ein Glück, daß wir noch die Frau Hedrich im Haus wohnen
haben.

NANNA

Ach, die Frau Hedrich...   10

THERESE

Freilich. Die kann reden! Aber ich, ich weiß kein Wort,
wenn ein fremder Mensch da ist. Wir sind schon jetzt alle
drei ganz mäuschenstill, wenn wir bloß an ihn denken. Als
ob wir uns alle auf einen Gesprächsstoff mit ihm besinnen
müßten: so wie du mir gesagt hast, Mama, daß man   15
früherszeiten im Konversationslexikon nachgelesen hat,
bevor man in Gesellschaft gegangen ist.

NANNA

Kindskopf! Ich hab' an ganz was anderes gedacht als den
Maler. Und die Sixtina auch, gell?[4]

SIXTINA

Ja, gnädige Frau, es ist nicht mehr recht hell.   20

---

[3] *Thereserle, was ist denn?* Theresa, dear, what's the matter?
[4] *gell?* (dial.) = *gelt?* = *das gilt?* isn't that so? don't you think so?

NANNA *(unwillig)*
Ach, die taube Alte! *(Zu Therese)* Probier' doch einmal,
ob das Licht noch nicht brennt.[5]

THERESE *(geht zur Tür und dreht den Lichtschalter; ohne
Erfolg)*
Noch Stromsperre.

NANNA *(laut, der Alten ins Ohr)*
Noch Stromsperre, Sixtina.

SIXTINA
5   Schadet nichts, es geht schon noch.[6] Der Himmel ist voller
Schneewolken, das macht früh finster.[7]

NANNA
Ja, die Heiligen Drei Könige haben statt Gold, Weihrauch
und Myrrhen nur Schnee gebracht.

THERESE *(das Gesicht an der Fensterscheibe, singt vor sich hin)*
           Schnee, Schnee, Schnee —
10   Der Welt tut nichts mehr weh,
           Alles wird zugeschneit,
           Leiden und böse Zeit. . . .

NANNA
Was ist denn das?

THERESE
Ein erzgebirgisches Kinderlied. Von der Sixtina hab' ich's
15 gelernt.

NANNA
Lehrt sie dich Lieder, die ich gar nicht kenne? Ja, von der
Sixtina kann man viel lernen.

SIXTINA
Wie bitte, gnädige Frau?[8]

⁵ *Probier' doch einmal, ob das Licht noch nicht brennt:* See, though, whether
the light doesn't go on yet (lit., try . . .).
⁶ *Schadet nichts, es geht schon noch:* No matter, it's still alright.
⁷ *das macht früh finster:* that makes it dark early.
⁸ *Wie bitte, gnädige Frau:* I beg your pardon, ma'am?

NANNA *(warm)*

Daß man von dir viel lernen kann, sag' ich. Und daß ich schrecklich, schrecklich froh bin, alte Sixtina, daß ich dich wieder bei mir hab'.

THERESE *(vom Fenster her, ohne sich umzuwenden)*

Ich auch.

NANNA

Hörst du? Das Kind auch. — Und wenn ich einmal 5 unwirsch bin, denn ich bin ein ungeduldiger Mensch, bin's immer gewesen... du wirst mir nicht böse darum?

SIXTINA

Die gnädige Frau ist schon recht, wie sie ist. Und ich werd' es der gnädigen Frau nicht vergessen, solang' wie ich lebe, daß sie mich wieder zu sich genommen hat. 10

NANNA

War doch das einzig Gescheite.[9] Was sollst du droben bei den Preußen oder Schlesiern, oder was weiß ich, sitzen, wo wir dich hier in Ried[10] so gut brauchen können. Wer weiß, was dir dort geschehen wäre.

SIXTINA *(kopfnickend vor sich hin)*

Und die Geschwister sind gestorben — man muß Gott 15 danken dafür —, ehe die Flucht und all das Elend angegangen war. Und auch Gott danken, daß es noch so einen Fleck Erde gibt wie hier, wo der Krieg nicht hingekommen ist. Und bitten, daß es so bleibt, gnädige Frau, daß es so bleibt! 20

NANNA

Ja, Sixtina.

---

[9] *War doch das einzig Gescheite:* It was really the only sensible thing to do.
[10] *Ried:* village in Bavaria.

SIXTINA *(mit lehrhaft erhobenem Finger)*

Denn von da, wo der Friede erhalten geblieben ist, muß
er sich wieder ausbreiten über die Welt.

NANNA

Ganz recht. — Kannst du dich eigentlich gar nicht erinnern, Therese, an die Sixtina, von früher her?

THERESE *(kommt wieder zum Tisch)*

5 Gar kein bißchen.

NANNA

Warst ein dummes, verschlafenes Kind.

THERESE

Ja, Mama.

SIXTINA

I wo, gnädige Frau![11] ein frisches, aufgewecktes Kind war
das! Aber das Reserle ist ja erst ein Jahr alt gewesen,
10 damals, als ich habe fortgehen müssen, weil mich die
Meinigen daheim gebraucht haben.

NANNA

Ja, und ich bin dagesessen mit meiner kleinen Krott,[12]
ohne Sixtina.

SIXTINA

Die gnädige Frau hat doch dann bald Ersatz gefunden.

NANNA

15 Was heißt Ersatz? Das gibt's doch gar nicht. Ersetzen
kann man einen Maschinenteil—nämlich, wenn man ihn
kriegt—aber keinen Menschen!—Ich hab' eine bekommen,

---

[11] *I wo, gnädige Frau:* Oh no, ma'am.
[12] *Ja, und ich bin dagesessen mit meiner kleinen Krott:* Yes, and there I was
all alone with my little lass *(Krott*—more commonly *die Kröte* toad.)

die mir die schmutzigen Windeln vom Baby gewaschen hat.
Das ja. Und die nachher gestohlen hat, so daß ich sie
wieder hab' hinaussetzen müssen.—Ein Gesicht hat sie
gehabt, wie ein Teppichklopfer.

SIXTINA

Wie bitte, gnädige Frau?   5

NANNA

Ein Gesicht so flach wie ein Teppichklopfer.

SIXTINA *(mit sanfter Mißbilligung)*
Wir haben alle unser Menschengesicht vom Herrgott.

NANNA *(lacht)*
Grad' wie früher! Da hast du mich auch schon immer
erziehen wollen, Sixtina, als ich noch eine ganz junge Frau
gewesen bin! Geholfen hat's nichts, aber recht hast du 10
auch damals schon gehabt.—Hört auf mit Nähen, Kinder,
man sieht ja wirklich schon nichts mehr. *(Da in diesem
Augenblick die Hängelampe über dem Tisch hell wird.)*[13]
Ah! Haben die doch einmal ein Einsehen,[14] im Elektrizitätswerk, und machen ein Ende mit ihrer Stromsperre.   15

THERESE

Jetzt sind die Fenster ganz schwarz.

NANNA

Sag' doch, wie lang' ist denn das alles jetzt her?

SIXTINA

Daß ich von Ihnen fort bin, damals?

[13] *Da in diesem Augenblick die Hängelampe über dem Tisch hell wird:* Because
at this moment the hanging lamp above the table goes on.
[14] *Ah! Haben die doch einmal ein Einsehen:* Ah, they do indeed for once
show consideration.

NANNA

Ja.

SIXTINA

Sechzehn Jahre sind's gewesen, an Weihnachten.

NANNA

Sechzehn Jahre.—Waren da schon die Nazis[15] an der Regierung?

SIXTINA

5 Ich weiß nicht, gnädige Frau.

NANNA

Warte. Ich weiß es auch nicht mehr. Aber kannst du dich erinnern, wie damals mein Mann immer—man darf es ja gar nicht laut sagen—, wie er daran geglaubt hat?

SIXTINA

An den Hitler,. gnädige Frau?

NANNA

10 Freilich. Auf den Leim ist er ihm gegangen.[16] Wie wir damals gestritten haben!

THERESE

Wenn man das Rechte zu der Zeit schon hätte wissen können, hätte es der Papa auch gewußt.

NANNA

Ja, Reserle.

THERESE *(zur Sixtina)*

15 Wie hat er denn ausgesehen, mein Vater?

---

[15] *die Nazis*, abbreviation for *Nationalsozialisten*, members of the National Socialist Party which came to power under Adolf Hitler in 1933.
[16] *Auf den Leim ist er ihm gegangen:* He fell into his trap.

SIXTINA

Schön, groß, stattlich! Wie ein Herr hat er ausgesehen.
Er hat von keinem Menschen etwas Schlechtes glauben
wollen, und das hat man merken können an seinem Gesicht.

NANNA

Das ist wahr, Alte.   5

THERESE *(aufgestanden richtet den Strahl der Hängelampe auf
das Porträt zwischen den Fenstern)*

Hat er so ausgesehen wie auf dem Bild?

SIXTINA

Ja, das ist gut getroffen.[17] So hab' ich den gnädigen Herrn
in Erinnerung.

NANNA

Das Bild ist ja auch ungefähr damals gemalt worden.
Und zwar von dem Maler, den wir heute erwarten. Du 10
hast ihn nicht mehr gekannt, Sixtina, den Kienlechner?

SIXTINA *(etwas beleidigt)*

Aber, gnädige Frau! Wieso soll ich denn Herrn Kienlechner
nicht gekannt haben?

NANNA

Wirklich? den Kienspan?

THERESE

Warum Kienspan?   15

NANNA

Er heißt Christian Kienlechner, und wir nannten ihn Kienspan.—Also war das auch noch zu deiner Zeit?

---

[17] *Ja, das ist gut getroffen:* Yes, that's a good likeness.

SIXTINA *(nickt)*

    Ich kann mich doch noch so gut erinnern, wie der gnädige
Herr immer ungehalten war, wenn er so lange hat sitzen
müssen für das Gemälde.

NANNA

    Stimmt! Der Kienspan war bald nach unserer Hochzeit
5   bei uns auf dem Gut. Mich hat er damals nicht malen
wollen. Er hat behauptet, das kann er noch nicht, und
Frauen wären viel schwerer zu malen als Männer.

THERESE

    Warum sind sie schwerer zu malen?

NANNA

    Was weiß ich? Er hat einfach nicht mögen, das war's.[18]—
10   Aber daß die Sixtina den Kienspan auch gekannt hat! Und
daß sie jetzt wieder da ist und er auch wieder herkommt!
Ich kann euch gar nicht sagen, wie wohl mir das tut. Es
ist mir so, wie wenn die frühe Zeit wieder zurückkäme.
Und wie wenn ich noch gar nicht so alt wär'.

(Pause. Sie lacht.)

15   Kinder, ihr müßt viel geschwinder widersprechen, wenn
ich so was sag'.

THERESE *(kommt um den Tisch herum und umarmt sie)*
    Aber Mama! Du bist doch so jung und schön wie—

NANNA

    Na? wie was?

THERESE

20   Wie eine Korngarbe.

---

[18] *Er hat einfach nicht mögen, das war's:* He simply didn't want to, that
was it.

NANNA

Das ist ein hübsches Kompliment. Das laß ich mir gefallen.

THERESE

Mama?

NANNA

Hm?

THERESE

Ist er nett—der Kienspan?

NANNA

Ein netter Kerl. Meistens recht still und in sich gekehrt. 5
Aber er kann auch sehr aus sich herausgehen.[19] Eines Abends
haben dein Vater und ich Brüderschaft mit ihm getrunken...
da war er recht lustig und hat die Sterne in den Bäumen
hängen sehen. Er wird sich auch gemausert haben, die lange
Zeit her.[20]   10

THERESE

Also du bist auf Du mit ihm?[21]

NANNA

Freilich. Er war doch ein Bürscherl.[22]

THERESE

Ein Bürscherl?

NANNA

Ein paar Jahre jünger noch als ich. Er war damals nur

---

[19] *Aber er kann auch sehr aus sich herausgehen:* But he can also be very
outgoing.
[20] *Er wird sich auch gemausert haben, die lange Zeit her:* He will probably
have changed during the long time since.
[21] *Also, du bist auf Du mit ihm?* So you call him by his first name?
[22] *Er war doch ein Bürscherl:* Of course he was only a young fellow.

gerade erst mit seiner Schule fertig. Er muß jetzt sechsunddreißig oder so was sein.[23]

THERESE

Immerhin ein ausgewachsener Mann. Wie muß ich ihn
denn ansprechen? Herr Kienlechner?

NANNA

5   Ja.

THERESE

Oder Kienspan?

NANNA

Meinetwegen.

THERESE

Und er zu mir Fräulein Wolpert?

NANNA

Unsinn! Therese natürlich. Wer wird zu einem Kind
10   Fräulein Wolpert sagen? Versteht ja kein Mensch, wer das
sein soll.

THERESE

—Du, Mama.

NANNA

Hm?

THERESE

So ganz in den Windeln bin ich aber auch nicht mehr.

NANNA

15   Ach was, Windeln! Das langt ja gar nicht![24]

---

[23] *Er muß jetzt sechsunddreißig oder so was sein:* He must now be thirty-six
or something like that.
[24] *Das langt ja gar nicht!* that's not enough by any means! *(langen* be
enough, be sufficient, reach)

THERESE *(lacht)*

Weiter zurück wird es nicht gehn.

NANNA

Sei still, du Naseweis.

THERESE

Nein, jetzt sagt mir einmal, wie er aussieht. Groß, klein, dick, dünn?

NANNA

Damals war er lang und schmal, drum nannten wir ihn   5
Kienspan. Aber ich hab' ihn in der ganzen Zwischenzeit nur ein einziges Mal flüchtig gesehen.

THERESE

Inzwischen kann er dick wie eine Tonne geworden sein.

NANNA

Bei uns in Deutschland? Da wird doch kein Künstler dick.

THERESE

Bist du auch so gespannt auf ihn wie ich?   10

NANNA

Gespannt? Eigentlich nein. Aber ich freue mich auf ihn.

THERESE

Gib's nur zu, du bist auch gespannt. Wir sind alle gespannt und denken über ihn nach. Schau, wie nachdenklich die Sixtina aussieht!

SIXTINA

Ich wundere mich eigentlich, gnädige Frau, daß die Frau 15
Hedrich nicht zurückgekommen ist. Der Nachmittagsautobus muß ja schon längst im Dorf gewesen sein.

THERESE.

Vielleicht ist sie in ihrem Zimmer.

NANNA

Ach! Die wäre doch gekommen und hätte uns ihren Tageslauf erzählt—die Schwatzliesel, die sie ist!

THERESE

Ich schaue einmal geschwind nach. [25]

(Rechts ab)

NANNA

5   Weißt du eigentlich, ob sie das Zimmer in der Stadt kriegen wird [26], von dem sie immer redet?

SIXTINA

Ich weiß nichts, gnädige Frau. Ich weiß nur, daß sie absolut in die Stadt ziehen will, weil es ihr bei uns zu abgelegen ist.

NANNA

10 Ein Stadtkind. Die können die Einsamkeit nicht lange vertragen.—Sei nur still, Sixtina, mit deinem Erziehungsgesicht. Ich weiß schon, was du sagen willst. Und ich muß es auch zugeben: wo sie in der Kreisstadt die Arbeit hat— der weite Fußweg ins Dorf, und dann mit dem Autobus
15 hineinfahren, jeden Tag—das ist kein Vergnügen.

SIXTINA

Ganz recht, gnädige Frau.

THERESE *(kommt zurück)*

Nicht da.

[25] *Ich schaue einmal geschwind nach:* I'll take a quick look.
[26] *kriegen:* (coll.) get, obtain

NANNA

Dann wird sie eine spätere Fahrgelegenheit haben. Oder sie
bleibt gleich in der Stadt über Nacht.

SIXTINA

Ich glaub', es wird Zeit, daß ich das Essen richte, gnädige
Frau.

NANNA

Feuer hast du schon?   5

SIXTINA *(nickt)*

Die Kartoffeln werden gar sein. Der Schlitten, der den
Herrn Kienlechner bringt, kann nicht mehr lange ausbleiben.
*(Sie räumt, leise hüstelnd, ihre Sachen zusammen, geht während
der folgenden Worte Nannas in die Küche, links ab.)*

NANNA

Recht lange nicht mehr, das ist wahr, wenn der Zug pünktlich gewesen ist.   10

THERESE

Und wenn der Schlitten überhaupt durchkommt, bei dem
Schnee.

NANNA

Das wäre das erste Mal, daß unser Wachinger mit seinen
Braunen nicht durchkäme.[27]

THERESE

Und wenn der Kienspan überhaupt angekommen ist.   15

NANNA

Ja.

[27] *daß unser Wachinger mit seinen Braunen nicht durchkäme:* that our Wachinger could not make it with his team of brown horses.

THERESE

Und wenn unser Haus nicht, ohne daß wir's gemerkt
haben, auf einen anderen Stern hinaufgezaubert worden
ist—wohin es sonst auf der Welt gar keinen Weg gibt.

NANNA

Ja, du Kindskopf.

THERESE

5 Nenne mich nicht Kindskopf, Mama!
(Für sich, vor dem dunklen Fenster sich spiegelnd,[28] *halblaut,
als ob ein Dritter über sie spräche.)*
Therese ist kein Kindskopf. Sie ist ein schönes, bezau-
berndes, heiratsfähiges junges Mädchen. . .

NANNA

Was schwätzst du da?

THERESE

Überhaupt nichts, Mama.—Kienspan ist ein komischer
10 Name, Mama. Ein Kienspan muß oben brennen und voller
Harz sein.

NANNA

Hör einmal, Theres'—du willst nicht haben, daß man
Kindskopf zu dir sagt, aber du bist ja doch wirklich einer!
Ich möchte nicht gern, daß du den Christian Kienlechner
15 mit einer solchen Ich weiß-nicht-wie-Laune behandelst[29],
wie du sie jetzt an den Tag legst. Was soll er von dir denken? Der Papa hat ihn sehr gern gehabt.

THERESE

Sehr gern?

[28] *Für sich, vor dem dunklen Fenster sich spiegelnd:* to herself, mirroring
herself in the dark window.
[29] *daß du den Christian Kienlechner mit einer solchen Ich-weiß-nicht-wie-
Laune behandelst:* that you treat Christian Kienlechner with such a I-
don't-know-what whim.

NANNA

Er war eigentlich Papas bester Freund, aus der Studienzeit. Du kannst ihm schon ruhig mit Respekt begegnen.

THERESE

Aber ich hab' ja einen Riesenrespekt vor eurem Kienspan.

NANNA

So? Ich merk' nichts davon.

THERESE

Freilich! weil—weil er so malen kann.   5

NANNA

Dann ist's ja gut, Kleines.

THERESE

Waren sie einander ähnlich?

NANNA

Dein Vater und der Kienspan? Ganz verschieden! Der
Vater immer so gläubig, so zuversichtlich. Und der Kienspan oft voll trauriger Ahnungen.—Nein, die zwei waren 10
sich nicht ähnlich. Sie sind ja auch mit der Zeit auseinander gekommen—nicht im Streit, nur so, durch das
Leben. Aber sie haben doch immer einer am anderen
gehangen, wie zwei Männer, von denen jeder weiß, was der
andere wert ist. Der Kienspan, hat sich als Künstler 15
schwer durchgesetzt, und der Papa hat ihm immer aus der
Ferne geholfen... aber heimlich hat man das machen
müssen, ganz schlau, sonst hätte der Andere das Geld
zurückgeschickt; denn stolz war er wie sieben Spanier!—
Eine Zeitlang ist er zu seiner malerischen Ausbildung in 20
Italien gewesen.

THERESE

Daß die Maler ewig das fade Italien malen müssen!

NANNA

Das fade Italien! Dabei war sie nie dort, das Baby, und redet so dumm daher.

THERESE

Ja, Mama. Grad weil ich nirgends war und niemand und nichts kenne, drum muß ich ja dumm daherreden. . .

NANNA

5   Ich hätt' dich schon geschickt, wenn es gegangen wäre. Kann ich dafür, daß dieser unbegreifliche, widersinnige Krieg gekommen ist?[30]

THERESE

Nein, Mama. Du nicht, ich nicht, der Papa nicht, der Kienspan nicht, die Sixtina nicht, die Frau Hedrich nicht,
10   der alte Wachinger nicht, die Frau Wachinger auch nicht, drüben in der Ökonomie. . . Lauter unschuldige Leute?

NANNA

Wie du heute daherredest! Du möchtest wohl gern einen Schuldigen finden?

THERESE

Nein, Mama, nein! Nur das nicht! Was tät' ich mit ihm?
15   Ich würde sicher gleich merken, daß er auch nichts dafür kann.
(Sie heftig umarmend, in anderem Ton.)
Aber wird es denn nie sein, Mama, daß ich einmal hinaus-kann nach Italien, nach Frankreich, wie du es doch als junges Mädchen gedurft hast?—Und der Papa, der,
20   glaub' ich, in seinem Leben wenig gereist ist, der hat doch nachher als Soldat wenigstens herauskönnen, überall hin, bis nach Afrika und nach Norwegen, bevor er in Rußland

---

[30] *Kann ich dafür, daß dieser unbegreifliche, widersinnige Krieg gekommen ist?*
Is it it my fault that this incomprehensible, crazy war started?

hat fallen müssen. Mama, ich muß auch einmal hinaus!
Ich möcht' auf ein Schiff steigen, das irgendwohin fährt,
mit dem man irgendwo ankommt und dann sieht, wie die
Welt ist! Ich habe von der ganzen, großen Welt nichts
gesehen, als eine schmutzige, von Bomben zerstörte Stadt   5
und—und ja einmal in den Kriegsjahren den Ausflug mit dem
B.d.M.,[31] aber das war doch nichts, das war doch gräßlich,
mit den marschierenden und gröhlenden Mädels, obwohl
einzelne nett waren und die Führerin sicher sogar in ihrer
Art ein Kerl gewesen ist, aber es war doch trotzdem   10
gräßlich, Mama. . . und sonst kenn' ich nichts als unser
weltentlegenes Ried in seinem Winkel. . .

NANNA

Ist es nicht hübsch, unser Ried in seinem Winkel?

THERESE

Es wäre vielleicht hübsch. Aber daß man hier einge-
sperrt sitzen muß wie im Käfig! Wird denn nicht einmal   15
jemand kommen und die Käfigstangen auf die Seite schieben, so daß man hinausschlüpfen kann? Wird das nie sein,
Mama?

NANNA

Kleines, es wird schon einmal sein. Es ist ja wirklich
wahr, ihr jungen Leute seid aufgewachsen wie in einem   20
zoologischen Garten, hinter lauter Gittern, und das einzige
Vergnügen, das man euch gelassen hat, war: im Käfig hin
und her zu marschieren.—Aber jetzt gib einmal acht. Du
bist gescheit genug, um zu wissen, daß deine Mutter
lange nicht so fromm und so weise ist wie zum Beispiel   25
unsre alte Sixtina, und doch will ich dir jetzt einen weisen
und frommen Rat geben—

[31] *B.d.M.* = *Bund deutscher Mädel:* League of German Girls (a National
Socialist organization for young girls).

THERESE

Was für einen, Mama?

NANNA

Vergiß alles, was du für dich selber haben und tun willst,
Thereserle, und denk' an den armen Kienspan, der heute
zu uns kommt. Also: ich wenigstens hab' erfahren im Leben,
5   daß wenn einen die Verhältnisse so eingeengt haben, wie
du es jetzt empfindest, daß man gar nimmer Atem holen
kann—und man tut dann von sich aus etwas für einen andern: dann gibt's auf einmal Luft! dann wird's weiter und
leichter! Nicht, daß ich immer nach diesem Rezept gelebt
10 hätte. Weit gefehlt![32] Aber erfahren hab' ich's, daß es so ist,
und daß sich dann manchmal, wer weiß wieso und woher,
unsere eigenen Wünsche auch erfüllen... aber darauf
darf man nicht hinschielen, sonst kommt's nicht.

THERESE

Ja, Mama.

NANNA

15 Also probier's einmal, mit mir zusammen. Machen wir's
ihm recht gut und gemütlich, dem Kienspan. Im Gefangenenlager ist er ja Gott sei Dank nicht lange gewesen,
aber in München hat er jetzt gelebt, und recht elend,
glaub' ich. Er hat sich ja nicht einmal gleich gemeldet,
20 der dumme Kerl, als er zurückkam, sonst hätten wir ihn
zu Weihnachten schon bei uns haben können. Er wird's
nötig haben, daß man ihn pflegt und ein bißchen verwöhnt.
Es wär' auch im Sinn von Papa, das weiß ich.—Was mußt
du denn seufzen?[33]

THERESE *(die unbewußt einen tiefen, sehnsüchtigen Seufzer getan*
hat)

25 Ich? Ich seufze ja gar nicht, ich—Mama! da ist der Schlitten!

[32] *Weit gefehlt!* Far from it!
[33] *Was mußt du denn seufzen?* Why do you have to sigh?

(Läuft ans Fenster) Da kommt der Schlitten! Man sieht
dem Wachinger seine zwei blauen Laternen![34]

NANNA *(die auch ans Fenster getreten ist)*

Richtig. Die sind aber pünktlich. Wir haben ja noch nicht
einmal gedeckt, hier. Ich muß es geschwind der Sixtina
sagen. *(Ab in die Küche.)*   5

THERESE *(am Fenster)*

Jetzt sind sie hinter den Bäumen—jetzt biegt er in die
Einfahrt—und ich hab' ein Herzklopfen, als ob wer weiß
was für ein Prinz Wundertäter aus dem Schlitten steigen
könnte,. . . und derweil ist es nur ein Maler.
(Sie lacht leise vor sich hin.)
Ein armes, verhungertes Malermeisterlein.   10

NANNA *(wieder aus der Küche, geht rechts zur Tür)*

Komm mit, Theres'l!

THERESE

Nein, nein Mama! ich bleibe hier.—Am Ende ist er gar
nicht gekommen.[35] *(Sie horcht)* Doch! *(Draußen Begrüßung, Stimmen)* Das muß er sein. Und da ist doch
noch jemand?   15
Ach—die Frau Hedrich ist mit ihm gekommen.

*(SIXTINA mit einem Tablett voll Geschirr, ein Tischtuch überm
Arm, aus der Küche, fängt an, den Tisch zu decken. THERESE
springt hinzu und hilft ihr.—NANNA und CHRISTIAN KIEN-
LECHNER treten ein; etwas später Frau Hedrich. KIENLECHNER
hat ein offenes, freies Gesicht und etwas sehr Jugendliches,
Wanderburschenhaftes in der Erscheinung,[36] aber seine
Schläfen sind grau.)*

[34] *Man sieht dem Wachinger seine zwei blauen Laternen!* One sees Wachinger's two blue lanterns! (Note the dative of reference to express
possession.)
[35] *Am Ende ist er gar nicht gekommen:* Perhaps he hasn't arrived at all.
[36] *etwas sehr Jugendliches, Wanderburschenhaftes in der Erscheinung:* something very youthful, free and easy in his appearance.

KIENLECHNER

Ah! Da wird der Tisch für uns gedeckt. Wie schön!

NANNA

Also das ist unser Kleines. Komm her, Theres'.

THERESE *(kommt befangen heran und nimmt Kienlechners ausgestreckte Hand)*

KIENLECHNER

Grüß Gott, Fräulein Wolpert.

THERESE

Grüß Gott, Herr Kienlechner.

NANNA

5 Oh je, wie umständlich ihr zwei seid[37]! Was ist denn? Umarmt euch und nennt euch Du! So ein alter Hausfreund, mit dem man bald zwanzig Jahre bekannt ist! Er könnte ja leicht dein Vater sein—

FRAU HEDRICH *(die eben hereingekommen ist; sie steckt in einem gewaltigen, ihr viel zu langen, für einen Mann bestimmten Pelz, sie ist höchstens dreißig, hübsch, erfrischt von der Schlittenfahrt, voller Lebhaftigkeit)*
Na, na, Frau Wolpert, was man da hören muß!

KIENLECHNER

10 Also darf ich Therese sagen?

THERESE

Ja, Herr Kienlechner.

KIENLECHNER *(lacht)*

Nein, also so geht das ja nicht, daß ich da gleich beim ersten

---

[37] *O je, wie umständlich ihr zwei seid!* Good Lord, how ceremonious you two are!

Schritt ins Haus als uralter Onkel traktiert werde. Wir
müssen uns schon auf Gegenseitigkeit einigen. Ich heiße
Christian.

THERESE

Christian sagen trau' ich mir nicht, aber *(sie lächelt)*
Kienspan vielleicht.   5

KIENLECHNER

So! *(Zu* NANNA*)* Ist mein Übername schon auf die junge
Generation übergegangen?

FRAU HEDRICH

Wie war das? Kienspan? Mir hat er auf der ganzen Fahrt
nichts von dem schönen Namen verraten.—Übrigens, ich
muß sehr um Entschuldigung bitten, daß ich in dem Pelze 10
da vor Ihnen stehe, den doch Herr Wachinger ganz bestimmt nicht für mich im Schlitten liegen hatte. Es wird
ein Pelz vom Herrn Gemahl gewesen sein, oder nicht?
Dacht' ich mir doch! Und für Ihren Gast bestimmt, für die
Fahrt. Das sagte ich ihm ja auch die ganze Zeit. Ich hatte 15
das Ding bloß während des Wartens—am Bahnhofe
hatt' ich's angezogen. Aber Herr Kienlechner wollt' es ja
durchaus nicht zulassen, daß ich es für ihn wieder auszog,
ich mochte wollen oder nicht, ich mußte ihn anbehalten. . .
sonst würden wir am Ende auch jetzt noch auf dem Buch- 20
dorfer Bahnhofe stehen und uns bekomplimentieren.—
Schön gemütlich warm war's, das muß ich sagen!

KIENLECHNER *(zu Nanna)*

Ich hab' den Pelz vom Hermann gleich erkannt. So heimatlich war mir das.

NANNA

Du mußt ja hübsch gefroren haben in deinem dünnen 25
Stadtmantel. Geschieht dir schon recht, wenn du gar so
galant bist.

FRAU HEDRICH

Keine Bange, Frau Wolpert. Ein bißchen warm gemacht
haben wir uns gegenseitig, oder? Wenigstens ich hab'
mein Möglichstes getan.

NANNA *(gutmütig)*

Das glaub' ich Ihnen ungeschaut, Frau Hedrich.[38]

FRAU HEDRICH

5   Na, wissen Sie, ich kann Ihnen ja gar nicht sagen, wie mir's
wurde,[39] wie ich da auf einmal auf dem Bahnhof den
Schlitten aus Ried entdeckte. Ich hätte ja sonst bis um
neun warten müssen. Mein erster unschuldiger Gedanke
war: haben sie dir wahrhaftig das Fuhrwerk entgegen-
10 geschickt, weil du den Autobus versäumt hast. Aber dann
kam ich auch gleich wieder auf den Boden der Tatsachen
'runter und sagte mir: Kann ja nicht sein.—Und dann
sagte mir ja auch der Wachinger, daß ein Gast erwartet
wird. Er wollte immer von mir wissen, wer denn das wäre
15 und warum er hierher käme, aber ich konnte ihm ja darüber nicht Bescheid sagen, da ich doch selber nichts wußte...
Ach, da ist ja Herr Wachinger! Schönen Dank nochmal für
das Mitnehmen!

*(*WACHINGER, *Gutsbaumeister, mit einem Koffer und einem
großen, rechteckigen, mit Tuch und Lederriemen einge-
schnürten Bündel.)*

WACHINGER

Guten Abend beieinander.

NANNA *(*KIENLECHNER *abwehrend, der auf* WACHINGER *zugehen
will, um ihm etwas zu geben)*

20 Nein-nein-nein-nein! Da bei uns hier sind andre Leute
maßgebend.

---

[38] *Das glaub' ich Ihnen ungeschaut:* I believe you without checking.
[39] *ich kann Ihnen ja gar nicht sagen, wie mir's wurde:* I can 't tell you at all
how I felt.

KIENLECHNER

Nein, Nanna. Nein, wirklich. *(Er drückt* WACHINGER *etwas in die Hand)*

WACHINGER

Danke schön, Herr.

KIENLECHNER

Gut gefahren ist er! Der Schnee hat nur grad so gestäubt, unter den Kufen. Und die Rösser sind gelaufen wie die Teufel.

WACHINGER

Das glaube ich schon, sobald es dem Stall zugeht. Mir 5 hat es auch pressiert, heim, zu meiner Alten.[40]—Gute Nacht, alle beieinander.

NANNA

Gute Nacht, Wachinger. *(*WACHINGER *ab)* Eine noch ganz junge Frau hat er drüben, der alte Schlaumeier. Hat erst wieder geheiratet, im letzten Frühjahr.   10

FRAU HEDRICH

Also wenn Sie nicht wollen, Frau Wolpert, daß ich den ganzen Abend in Ihrem Pelz stecken bleibe, dann müssen Sie mir heute schon erlauben, daß ich mir meine paar Eßsachen da herüberhole und hier an Ihrem Tisch mittue. Geht das? Ja? Recht vielen Dank auch! *(Erklärend zu* 15 KIENLECHNER*)* Das bei mir drüben, das ist nämlich eine Eisbude. Und bis das heute noch warm wird, derweilen. also danke schön! Ich darf dann gleich wiederkommen. *(Ab)*

KIENLECHNER *(bemerkt* SIXTINA, *die inzwischen ab und zu gegangen ist und eben mit einer Wasserkaraffe aus der Küche kommt)*

---

[40] *Mir hat es auch pressiert, heim, zu meiner Alten:* I, too, was in a great hurry to get home to my old lady.

Das ist—aber das ist doch die Sixtina! Freilich! Ja, Grüß
Gott, Sixtina! ja, ist denn das möglich, daß Sie auch immer
noch da sind! *(Er geht und schüttelt ihr die Hand)*

NANNA

Nicht immer noch. Auch erst seit kurzem wieder!

SIXTINA

5   Grüß Gott, Herr Kienlechner. Ich habe schon gedacht, Sie
kennen mich gar nicht mehr.

NANNA

Er ist ja noch gar nicht zu Wort gekommen, weil die gute
Hedrich in einem fort geschwätzt hat... daß man mit
keiner Messerspitze hätte dazwischenfahren können.[41]

KIENLECHNER

10 Wie soll ich die Sixtina nicht kennen! Kein Loch im
Ärmel hat sie mir ungestopft gelassen, damals, und jede
Mahlzeit, die ich über meinen Malereien und Streifereien
versäumt hab', hat sie mir nachserviert—und nicht einmal
geschimpft dazu, gell, Sixtina? Sowas merkt sich der
15 Mensch. Besonders, wenn ihm sonst im Leben nicht viele
Mahlzeiten nachserviert worden sind.—Ach, ich kenne
doch hier in Ried noch jeden Baum! Die Eiche bei der
Einfahrt und den großen Nußbaum hab' ich schon gleich
bei der Ankunft, im Dunkeln, wieder begrüßt... und erst
20 recht die lieben Menschengesichter. *(Er blickt von* SIXTINA
zu NANNA, *dann zu* THERESE*)* Bis auf eines. Sie, Therese,
waren damals—

NANNA

—noch nicht da.

---

[41] *daß man mit keiner Messerspitze hätte dazwischenfahren können:* that you
couldn't have cut in with a knife (i.e., you couldn't have gotten a word
in edgewise).

KIENLECHNER

Ja, ich war der erste Gast im Haus, nach Ihrer Eltern
Hochzeit.

THERESE

Der erste Gast—

KIENLECHNER

Da gab es Sie noch nicht. Aber jetzt—jetzt gibt es Sie
doch wirklich?   5

THERESE *(sehr befangen, unter seinem auf ihr ruhenden Blick)*
Wie bitte?

KIENLECHNER

Ich meine: jetzt sind Sie doch wirklich da? Jetzt kann ich
nicht auf einmal aufwachen und Sie nur geträumt haben?

THERESE *(ernsthaft)*
Nein, ich bin ganz wirklich da, Kienspan.

KIENLECHNER *(sich von seiner Versunkenheit losreißend, geht* 10
durch's Zimmer, bleibt vor dem Bilde des Hausherrn stehen)
Wenn man ihn nur wieder aus seinem Rahmen herunterholen und lebendig zwischen uns ins Zimmer stellen
könnte! *(Er hält inne; zu Nanna)* Ich hab' dir nach seinem
Tode einen so dummen, konventionellen Brief geschrieben. 15
Ich kann keine Briefe schreiben. Ihr wißt nicht, wie nahe es
mir gegangen ist. Und immer noch geht. In seinem Herzen
sind alle Dinge gelegen: klar, wie wenn man in ein lauteres
Bergwasser hineinschaut. Ich hab' da neulich erst ein
Bild zu malen angefangen. *(Auf das umschnürte Bündel* 20
zeigend) Ich hab's darin: einen Blick in einen grünen
Bergbach, wo man jeden Stein auf dem Grunde sieht. Und,
so seltsam es vielleicht klingt: da ist mir immer die Erinnerung an Hermann Wolpert gegenwärtig gewesen. Ich
glaube wahrhaftig, das Bild wird ein noch ähnlicheres 25
Porträt von ihm als das da droben.

THERESE

Das ist sehr schön—was Sie da vom Papa sagen.

NANNA

—Ich glaub', wir werden jetzt den Kienspan erst einmal
in sein Zimmer bringen. Er wird den Mantel abtun und sich
die Hände waschen wollen, und da steht die Sixtina und
5   möcht' gern ihr Essen auftischen, bevor es verbrutzelt
ist.⁴²—Komm, ich zeig' dir dein Zimmer.
*(Sie will den Koffer aufnehmen, KIENLECHNER nimmt ihn ihr
aus der Hand, folgt ihr mit Koffer und Bündel rechts hinaus.
Therese steht, vor sich niederblickend.)*

SIXTINA

Ein lieber Herr. Und gerade wie früher. Auch kein bißchen
hat er sich verändert.

THERESE *(zerstreut)*

Ja?

SIXTINA

10   Ach so, wir müssen noch einen Platz einschieben, weil
die Hedrich 'rüberkommt.—Ich wollte, sie wären alle schon
da. Mein Essen wird jetzt nicht mehr besser.
*(Während Sixtina noch einen Stuhl an den Tisch stellt, kommt
Nanna zurück.)*

NANNA

Daß wir die Hedrich jetzt noch dabei haben müssen! Das
war doch stark, wie die sich selber eingeladen hat.
(An den Tisch tretend)
15   Nein, aber mit dem Wasser begnügen wir uns heute abend
nicht. Drei Flaschen Weißwein haben wir noch—wenigstens eine muß heute daran glauben,⁴³ zur Feier des Tages.

---

⁴² *bevor es verbrutzelt ist:* before it is burnt.
⁴³ *eine muß heute dran glauben:* one has to go today (i.e., be sacrificed).

Bist du so gut und holst du sie, Sixtin? *(Gibt ihr einen Schlüssel.)*

SIXTINA

Jawohl, gnädige Frau. *(Ab)*

NANNA

Der Kienspan wird nicht lang' aus sein. Ich komm' gleich. Wir wollen es ein bißchen festlich machen. Du könntest dich auch noch etwas herrichten, Kleines, wie?   5

THERESE

Ach—ja, gut, Mama.
(Nanna links in ihr Zimmer)

THERESE

Herrichten—hinrichten,. . . ich mag nicht. Sie sollen mich in Ruh lassen. Ich wollte, niemand wäre gekommen. *(Sie geht und betrachtet den Tisch)* Ich wollte, ich könnte hier ganz allein für mich sitzen und essen und Wein trinken!—und alle Türen zusperren. . .   10 *(Sie erschrickt etwas, da Kienlechner rechts hereinkommt; ohne Mantel jetzt, im grauen Reiseanzug)*

KIENLECHNER

Da bin ich schon wieder.

THERESE

Sie haben geschwind gemacht. Die Andern sind gleich wieder da. Dann gibt's Essen.

KIENLECHNER

Mir ist noch ganz komisch zumut. Ich wart' immer darauf, daß der Wecker geht, oder daß vor dem Fenster die 15 Trambahn mit diesem gräßlichen, markerschütternden Kreischen knirscht, womit in der Stadt der Tag für mich anfing, und daß dann hier alles vorbei ist. . . Ich kann es

ja eigentlich nur geträumt haben!—Nein, lachen Sie mich
nicht aus, stellen Sie sich nur einmal vor, wie das ist. Ich
komm' irgendwo auf einem Bahnhof an, ich steig' in einen
Schlitten, darin sitzt eine fremde hübsche Frau und redet
auf mich ein,—ich verstehe nicht viel, was sie sagt, aber
ich setze mich neben sie, und dann fangen die zwei braunen
Pferde an zu laufen und mit ihren Glöckchen zu klingeln,
der Himmel hängt voller Schneewolken, und mit dem
Schnee sinkt die dunkle Nacht selbst auf uns herunter,
und je dunkler die Nacht wird, um so blauer leuchten
vorne am Schlitten die zwei Laternen. Und auf einmal
ist da ein wohlbekanntes altes Haus, in das man hinein-
geht und das einem eine Wärme entgegenstrahlt, von der
man gar nicht gewußt hat, daß es die in der Welt noch
gibt. Und dann steht da jemand, den man nie zuvor gesehen hat, mit zwei großen, wohlbekannten Augen, und
hört einem zu. *(Er ist ihr unwillkürlich nahegetreten)* Ich
glaube übrigens tatsächlich, Sie haben genau die Augen
Ihres Vaters. . .

THERESE *(zurückhaltend)*

Ich weiß nicht.

KIENLECHNER

Verzeihen Sie, Therese. Ich muß Ihnen wie verrückt
vorkommen. Ich rede so ungeniert daher, wie man zu
einem Traumbild reden würde.—Aber Sie haben mir ja
zuvor schon versichert, daß es Sie ganz zuverlässig und
wirklich gibt.[44]

THERESE

Ja.

KIENLECHNER

Ein Glück, daß es so ist.

[44] *daß es Sie ganz zuverlässig und wirklich gibt:* that you really and truly are.

THERESE

Nein. Ich weiß nicht. Ich möchte—

KIENLECHNER

Sie möchten—was?

THERESE

Ich möchte ganz woanders sein. Ich möchte ganz für mich
in einer ganz engen Kammer verschlossen sein.

KIENLECHNER

Warum das?   5

THERESE

Warten Sie. Ich werd's Ihnen ehrlich sagen. Vorher, heute
nachmittag, habe ich mir gedacht: ein fremder Mensch
wird ins Haus kommen, und ich werd' nicht wissen, was
ich mit ihm reden soll, weil ich mich geniere. Aber jetzt ist
der fremde Mensch da,—und es kommt mir vor, daß ich 10
recht gut reden könnte, daß es mir gar nicht geschehen
könnte, daß ich nicht wüßte, was ich reden soll.—Aber ich
will nicht.

KIENLECHNER

Aber warum nicht, Therese?

THERESE *(faltet die Hände vor der Brust, sieht ihm fest und grad
in die Augen)*
Weil—weil jeder seine Seele für sich haben muß.   15

*(*FRAU HEDRICH *kommt, umgekleidet, Boa um die Schultern,
mit einem Brotkörbchen und einer kleinen Schüssel.)*

FRAU HEDRICH

So! Da bin ich noch nicht mal zu spät gekommen. Sehen
Sie, das ist mein Abendessen heute.—Stör' ich Sie zwei
beide etwa?

THERESE

Nein, warum denn, Frau Hedrich. Kommen Sie da zum Ofen, der gibt noch warm.

FRAU HEDRICH

Das kann ich brauchen. Bei mir drüben, das ist eine Hundekälte. Und sich da umzieh'n, wenn einem die Finger
5   ganz klamm sind—prrr!—Übrigens den Pelz habe ich draußen auf den Gang gehängt. War das recht?

KIENLECHNER

Sie haben sich so schön gemacht, gnädige Frau.

FRAU HEDRICH *(lächelt ihm zu)*

Ja, sehen Sie, was tut man nicht alles, einem hohen Besuch zu Ehren.[45]—Aber damit Sie sich nicht zu viel einbilden,
10 was Männern nie gut tut: es war nicht deswegen. Wenn man so einen ganzen Tag im Büro sitzen muß, in dem alten Kostüm. . . da zieht man schon gerne abends mal eine andere Haut an.[46]

KIENLECHNER

Andere Haut. So wie die Schlangen im Frühjahr. Das wäre
15 gut.

FRAU HEDRICH

Warum? Ist Ihnen in Ihrer nicht wohl?

KIENLECHNER

Jetzt schon! Heute abend wohler als je *(mit einem Blick auf* THERESE*)* muß ich schon sagen!

---

[45] *Ja, sehen Sie, was tut man nicht alles, einem hohen Besuch zu Ehren:* Yes, see what one doesn't do in honor of an important guest.
[46] *da zieht man schon gerne abends mal eine andere Haut an:* then one rather likes to put on another personality (lit. skin) in the evening.

FRAU HEDRICH

Das ist ja ·ein reines Wunder, wissen Sie, wenn sich ein
neuer Mensch hier in den Winkel verirrt. Außer natürlich
die Hamsterer—die kommen überall hin.

KIENLECHNER

Ich bin ärger als ein Hamsterer. Die gehen wieder, aber ich
bleib' da hängen.[47]   5

FRAU HEDRICH

Mal sehen, wie lange Sie's aushalten.

KIENLECHNER

Das kommt nicht auf mich an. Wenn's auf mich ankäme—
o je! mich würden Sie nicht so bald wieder los.

FRAU HEDRICH

Abwarten, Tee trinken.[48] Mir können Sie nichts vormachen,
Herr Kienlechner. Ein Maler! Der setzt sich hin, malt 10
sich so eine Gegend und was darinnen ist auf die Leinwand
und—wuppdich! ist er wieder dahin! Abwechslung macht
das Leben süß. Was?

KIENLECHNER

Es gibt so mancherlei, was das Leben süß und bitter macht.

FRAU HEDRICH

Wahrhaftiger Gott, da können Sie recht haben.   15

(NANNA *kommt links aus ihrem Zimmer. Ihr Haar ist frisch
gemacht, und sie trägt einen schönen gefransten, leuchtend
blauen Seidenshawl über ihrem schwarzen Gewand. Eine
kleine Spur von Verlegenheit in ihrer Haltung, während sie
auf der Schwelle einen Augenblick stehenbleibt. Sie schüttelt
das gleich ab, kommt nach vorn.)*

---

[47] *aber ich bleib' da hängen:* but I stay put.
[48] *Abwarten, Tee trinken:* Let's wait and see.

NANNA

Da seid ihr alle. Jetzt werden wir essen.—Sixtina!
*(Sie geht in die Küche, kommt zurück mit einer Flasche Wein
und einem Korkzieher, was sie beides* KIENLECHNER *hin-
reicht)*
Da! Du kannst aufmachen. Die Sixtina richtet schon an.
Wir setzen uns. Du hierher zu mir, Kienspan. Frau Hedrich
vielleicht gleich daneben?

FRAU HEDRICH

5 Vielen Dank auch, Frau Wolpert.

NANNA

Gut. Alles hat sich heute feingemacht—bis auf meine
Therese natürlich. Wohl deswegen, weil ihre Mutter es
ausdrücklich gewünscht hatte... du kleiner Eigensinn, du!

THERESE *(verschlossenen Gesichts)*

Ja, Mama.

KIENLECHNER

10 Aber ich bin ja auch nur im Reiseanzug, Nanna.

NANNA

Du brauchst auch nicht anders. Du bist ja selber Festgast.
Aber wir möchten dir alle gern unsere Freude über deine
Ankunft sichtbarlich zeigen.
(Indem öffnet sich die Küchentür und SIXTINA, *die jetzt ein
großes silbernes Kreuz um den Hals trägt, kommt mit dem
Tablett.)*

NANNA

Da seht ihr's! Auch die Sixtina hat sich ihr silbernes Kreuz
15 umgetan, um unserm Kienspan eine Ehre zu erweisen.

FRAU HEDRICH *(lachend)*

Ja, ja! So ein Mann in der Einöde, das ist wie ein Magnet,
der zieht das Silber aus dem Verborgenem hervor.

SIXTINA *(mit strengem Gesicht)*

Ein Kreuz wird nichts Unrechtes sein, möchte ich glauben.

NANNA

Freilich nicht. Im Gegenteil, Sixtin, gerade habe ich dich
gelobt deswegen. Komm', setze dich, wir beten. *(Es wird
stumm gebetet. Dann nimmt* NANNA *die Weinflasche und
beginnt die Gläser vollzuschenken)* Wir haben nur eine
Speise, fangt nur gleich an. Langen Sie zu, Frau Hedrich. 5

FRAU HEDRICH

Soll ich denn wirklich? Aber dann müssen Sie nachher
auch hier von Meinem probieren.

NANNA

Schon recht. *(Sie nimmt ihr Glas)* Zuerst möcht' ich unsern
Gast feierlich bewillkommen. Was mein Mann sagen
würde, wenn er da mit uns am Tisch säße, das weiß ich, er 10
würde sagen: es ist recht, daß der Kienspan da ist. Es ist,
als wäre die alte, bessere Zeit wieder zurückgekommen.
—Aber wenn die alte Zeit auch nicht wiederkommt, so
ist's doch ein schöner Tag für das ganze Haus, daß wir
dich wieder hierhaben.   15

KIENLECHNER

Für mich erst recht. Ich dank' dir, Nanna.
(Sie trinken ihm alle zu. THERESE *hebt als letzte, langsam und
ernst, ihr Glas an die Lippen.)*

ZWEITER AKT

*Sonniger Wintervormittag. In der Nähe des Kachelofens auf
einem Stuhl sitzt* FRAU HEDRICH *in dem großen schwarzen Pelz,
den sie bei ihrem ersten Auftreten getragen hat. Ihr gegenüber*
KIENLECHNER *vor einer Staffelei, im Malerkittel, eifrig beschäftigt, sie zu malen, so daß er auf ihre Reden meistens nicht
Antwort gibt.*

FRAU HEDRICH

Sie malen ja, Kienspan, als ob Sie's bezahlt bekämen.
(Pause) Sie bekommen's nämlich nicht bezahlt. Wenigstens von mir nicht. *(Pause)* Ich will nicht sagen, daß ich
für Kunst, wenn sie hübsch ist, nichts übrig hätte. Aber
5 ich habe kein Geld. Was soll eine alleinstehende Frau denn
machen? Wenn ich nicht das, was ich so dann und wann
vom Verdienst erübrigen konnte, auf den schwarzen
Markt getragen hätte, dann würden Sie heute an mir
nicht viel zum Abmalen finden. *(Pause)* Zwar, die Maler
10 malen ja sowieso immer das, was nicht dasteht. *(Pause)*
Wollt' ich Ihnen auch geraten haben. Wehe Ihnen, wenn
ich bei Ihnen da auf der Leinwand nicht hübscher heraus-
komme als ich bin! *(Pause)* Also nun schlägt es dreizehn.

Hören Sie denn nicht? Sie sollen mich hübscher malen als
ich bin, hab' ich gesagt! Da antwortet man doch! Da
sagt man etwas Angenehmes, wenn man ein höflicher
Mensch sein will! Wenigstens ein „Ausgeschlossen" hätten
Sie spontan hervorstoßen müssen, Sie alter Kienspan, 5
Sie!

KIENLECHNER

Entschuldigen Sie, gnädige Frau. . . ich habe nicht acht-
gegeben.

FRAU HEDRICH

Ich denke gar nicht dran, das zu entschuldigen! Glauben
Sie denn, daß es ein Vergnügen für mich ist, hier stock- 10
steif wie die selige Nofretete[1] zu sitzen und mich mit mir
selbst zu unterhalten, während Sie da drüben. . . ja, ich
begreife eigentlich garnicht, wo Sie sind! Soviel ich weiß,
bin's doch ich, die hier gemalt werden soll. Da könnten Sie
sich auch ruhig mal ein bißchen mit mir beschäftigen. 15

KIENLECHNER *(seine Arbeit betrachtend)*

Aber das tue ich ja, liebe Frau Hedrich. Was denn sonst?

FRAU HEDRICH

So, so. Aber die liebe Frau Hedrich hat nicht viel davon.
—Offengestanden, ich hatte mich geradezu auf das tête-
à-tête mit Ihnen gefreut, —wo es heute so schön sonntags-
still ist, und wo die Wolperts alle so schön in der Kirche 20
sind. Ich dachte, man spricht mal ein vernünftiges Wort
miteinander. Aber da stellt er sich hin und malt und
malt.

KIENLECHNER

Ja, Maler bin ich doch halt, gnädige Frau.

[1] *wie die selige Nofretete:* like the blessed Nofretete (Egyptian queen, wife
of Pharaoh Amenhotep IV [Ikhenaton], ca. 1370 B.C.).

FRAU HEDRICH

„Gnädige Frau" schenke ich Ihnen.[2] Wo wir jetzt zwei
geschlagene Wochen[3] miteinander bekannt sind.

KIENLECHNER

Wie darf ich denn sagen?

FRAU HEDRICH

Lore Hedrich können Sie sagen, oder sonstwie, aber
5   „gnädige Frau", das ist mir so—ich weiß nicht. . .

KIENLECHNER

Ich glaube, das mögen Sie deswegen nicht, weil Sie ungnädig sind.

FRAU HEDRICH

Kann schon möglich sein.

KIENLECHNER

Na, aber warum denn? das braucht's doch gar nicht.
10   Passen Sie auf, jetzt rauchen wir eine Zigarette zusammen.

FRAU HEDRICH (nimmt eine, die er anbietet)

Eine gute Idee.—Wissen Sie, daß es ein wahres Glück ist,
daß Sie mich nicht als Akt malen?

KIENLECHNER (lacht)

Warum soll das ein Glück sein?

FRAU HEDRICH

Aus dem einfachen Grunde, weil es dafür hier verdammt
15   zu kalt wäre. Ohne den Pelzmantel könnte ich hier gar
nicht existieren. Ich glaube, der Ofen brennt nicht mal
mehr.

---

[2] „Gnädige Frau" schenke ich Ihnen: you may skip the "madam"
business.
[3] zwei geschlagene Wochen: two full weeks.

KIENLECHNER

Donnerwetter! Sie haben recht. Nanna hat mir ja noch gesagt, vor dem Weggehen, daß wir tüchtig nachlegen müßten.[4]

FRAU HEDRICH

„Nanna" sagt er von ihr. Und zu mir will er „gnädige Frau" sagen!—Nanna Wolpert gefällt Ihnen, was?   5

KIENLECHNER *(gedankenvoll nickend)*

Ja. Sie hat den schönen Gang von einem Menschen, der viel über Felder gegangen ist. *(Am Ofen niederknieend)* Aber daß ich das Nachlegen ganz vergessen hab'!

FRAU HEDRICH

Da sehen Sie, so vertieft waren wir beide in unser interessantes Gespräch, was?   10

KIENLECHNER

Es ist tatsächlich aus. Warten Sie, ich will gleich einmal in die Küche und schauen, ob ich etwas zum Anfeuern finde.

FRAU HEDRICH *(raucht; da er mit Papier und Reisig aus der Küche zurückkommt und am Ofen kniet)*

Geben Sie mal—ich halte Ihnen die Zigarette inzwischen. —Bringen Sie denn wirklich ein Feuer zustande? Man 15 möchte es Ihnen kaum zutrauen, wenn Sie auch zehnmal „Kienspan" genannt werden, weiß der Himmel warum! —Ich muß übrigens an Ihrem Ding da mal ziehen, sonst geht's aus!

KIENLECHNER

Macht nichts.   20

----

[4] *daß wir tüchtig nachlegen müßten:* that we should put on plenty of wood.

FRAU HEDRICH

„Macht nichts!"—Krieg' ich weiter keinen Dank für meine
Guttaten?

KIENLECHNER *(vom Ofen austehend)*

So. Da geht's wieder.—Jetzt sagen Sie mir einmal: warum
sind Sie denn gar so unzufrieden mit mir, Frau Hedrich?

FRAU HEDRICH

5   Ich bin nicht unzufrieden, wenn Sie sich nur jetzt mal
brav zu mir hersetzen und Ihr Zigarettchen *(sie gibt's
ihm wieder)* mit mir zu Ende rauchen.

KIENLECHNER

Also da sitz' ich, so brav ich kann.

FRAU HEDRICH

Das Bravsein kann man auch übertreiben.

KIENLECHNER

10   Tu' ich denn das?

FRAU HEDRICH *(lächelt ihm zu)*

Na, ich finde schon.

KIENLECHNER *(beugt sich vor)*

Warten Sie, da haben Sie ja einen Zug um den Mund,
den ich ganz übersehen hatte. *(Er springt auf, geht zur
Staffelei)* Ich muß regelrecht blind gewesen sein.

FRAU HEDRICH

15   Ach, die verdammte Pinselei!

KIENLECHNER

Nicht schimpfen. Es ist nur ein Moment.—Möchten Sie
nicht einen Moment zu mir herüberschaun, Frau Hedrich—

FRAU HEDRICH *(die Hände vor dem Gesicht)*
  Nein!

KIENLECHNER *(geht zu ihr, nimmt ihr sanft die Hände herunter)*
Was ist denn? Sie sind ja widerspenstig wie ein Muli,
heute am heiligen Sonntag—

FRAU HEDRICH
  Was? Muli?

KIENLECHNER
  Ein Mauleselchen.—Kommen Sie doch einmal her und 5
  schauen Sie, was ich gemacht habe. Es gefällt Ihnen
  sicher auch. Es ist nämlich schon beinahe so hübsch wie
  in der Wirklichkeit. *(Er führt sie am Handgelenk zur
  Staffelei)* Na?

FRAU HEDRICH *(ihr Konterfei betrachtend)*
  Hm. Ja.   10

KIENLECHNER
  Nicht zufrieden?

FRAU HEDRICH
  Doch, ich glaube schon, daß Sie das gut getroffen haben.
  Doch, Sie können was. Es sieht wenigstens nicht aus wie
  so ein Holländerkäse oder wie ein Stadtplan von Groß-
  Berlin, wie es bei den modernen Malern ist—sondern man 15
  kann das Gesicht und die Ähnlichkeit erkennen. Wenn ich
  meinen Mann hier hätte, das können Sie glauben, der würde
  Ihnen eine Stange Geld für das Gemälde zahlen. Der
  hatte Kunstsinn, wissen Sie, und an mir hat er ganz unglaublich gehangen. Der würde das Bild nicht mehr aus 20
  der Hand lassen.

KIENLECHNER *(hat, während sie sprach, Pinsel und Palette wieder
  zur Hand genommen und etwas auf dem Bild korrigiert)*
  So. Danke. Das war's.

FRAU HEDRICH

Was soll denn das da oben 'rum?

KIENLECHNER

Das kommt noch. Das ist die Plane von dem Schlitten. . .

FRAU HEDRICH

Was für einem Schlitten?

KIENLECHNER

5   In dem Sie gesessen sind, in diesem gleichen Pelz da, an
dem Abend meiner Ankunft. Der Schlitten, in dem wir
uns kennengelernt haben.

FRAU HEDRICH *(etwas mißtrauisch)*

Hat Ihnen das so viel Eindruck gemacht?

KIENLECHNER *(nickt)*

Mächtig viel Eindruck.

FRAU HEDRICH

Komischer Kauz sind Sie.

KIENLECHNER

10 Wenn ich das bin, kann ich es ja nicht ändern. Jedenfalls
war das der Augenblick, wo für mich ein neues Leben
sich angekündigt hat. Als der Kolumbus in Amerika ans
Land ging, können ihm die Menschen und die Dinge nicht
so gänzlich fremd und neu vorgekommen sein wie mir,
15 als ich in der verzauberten Schneeflockendämmerung aus
dem kleinen Bahnhof heraustrat, und in dem Schlitten
saßen Sie, eine unbekannte Frau, und lächelten mich an,
als ob Sie sagen wollten: „Mache dir keine Sorgen mehr,
was jetzt kommt, ist alles ganz anders, als du dir denken
20 kannst, ein ganz anderes Leben fängt jetzt an. Was früher
war, ist vorbei, und was jetzt kommt, ist etwas Neues."

(Vor sich hin) Es gibt sòlche Ahnungen: und es bleiben
wahre Ahnungen, auch wenn sie sich niemals verwirklichen—

FRAU HEDRICH

Und das ganz Neue soll ich gewesen sein? Das wollen
Sie, daß ich Ihnen glaube?   5

KIENLECHNER *(zu ihr aufblickend)*

Das Neue—kam dann. Wir fuhren ja zusammen darauf zu.

FRAU HEDRICH

Zur—Nanna, nicht wahr?

KIENLECHNER

Nanna?

FRAU HEDRICH

Na, hier doch, zu Wolperts.

KIENLECHNER

Ganz recht. Aber immerhin, der Moment in dem Schlit- 10
ten mit seinen blauen Laternen: das war der Anfang.

FRAU HEDRICH

„Immerhin"—

KIENLECHNER

Das gute Lächeln, mit dem Sie mich begrüßten: das muß
in Ihr Bild hinein. Da war nichts von dem enttäuschten,
bitteren Ausdruck, den Sie sonst oft haben. Das war ganz 15
frei! *(Auf das Bild zeigend)* Wir haben's hier noch nicht
ganz drin, wie es sein muß. Aber es kommt schon, es kommt
ganz gewiß, wenn wir nur Geduld haben.—Es ist nämlich
keine Kunst, Bitternisse zu malen. Es geht immer um die
Freiheit, um die Heiterkeit! Die Welt steckt so voll von 20
Wesen und Sachen, die eine Leuchtkraft haben. Aber

ganz heimlich. Die Leute haben kein Auge mehr dafür;
auch viele Maler nicht mehr. Das heimlich Leuchtende
muß man aufspüren. Und muß es so geben, daß die
Menschen nicht denken können: ,,Recht schön, aber die
5 Wirklichkeit ist anders" —sondern, daß sie merken: ,,Ja!
so ist's! das ist erst die ganze Wirklichkeit!" Um das zu tun,
dafür ist ein Maler auf der Welt.

FRAU HEDRICH

Ich verstehe davon wohl nichts, was Sie da meinen.

KIENLECHNER

Als ob ich selber was davon verstünde!

(Pause)

FRAU HEDRICH

10 Sie geben einem Nüsse zu knacken auf, kann ich Ihnen
sagen. *(In aufrichtiger Überzeugung)* Sie sind wohl ein
ziemlich verrückter Mensch, glaube ich.

KIENLECHNER

Ich glaub's auch.

(Es klingelt)

FRAU HEDRICH

Was ist denn das?—Muß doch mal eben nachsehen. *(Sie
geht rechts hinaus; kommt wieder mit vier oder fünf Kindern
im Fastnachtsputz: ein Bub als Clown, ein anderer als Indianer, ein Mädchen als Prinzessin mit Krone usw., mit
geschminkten Mündern, Nasen und Augenbrauen.)*

FRAU HEDRICH

15 Da sehen Sie mal, Kienspan, was ich da habe! Das malen Sie
nur auch gleich mit auf Ihr Bild.

EIN BUB

Wir wollen zur Frau Wolpert.

FRAU HEDRICH

Ist ja kein Mensch zu Hause, Kind! Nur wir zwei armselige,
zu Gnaden aufgenommene Evakuierte. *(Zu* KIENLECHNER*)*
Die Kinder sind aus dem Dorf Ried. Die kriegen hier
wahrscheinlich was, wenn sie sich so in ihrem Indianerschmuck zeigen. *(Wieder zu den Kindern)* Ihr geht wohl   5
heute auf den Kinderball nach Oberndorf, was? *(Die
Kinder nicken)* Ist aber hübsch von euch, daß ihr da zu
uns 'reinkommt, daß man euren Staat bewundern kann. . .
Vor dem Indianer da kann einem ordentlich bange werden!

DIE KINDER

Wir wollen zur Frau Wolpert.   10

FRAU HEDRICH

Muß doch mal sehen, ob ich nicht bei mir noch was finde
für euch.
(Rechts ab)

KIENLECHNER

Wie heißt denn die Prinzessin? *(Keine Antwort)* Bist du
vielleicht eine stumme Prinzessin, ja? Das ist schade!
Wenn man so eine schöne Krone hat.   15

DER EINE BUB

Kathl heißt sie.

KIENLECHNER *(zur Prinzessin)*

Da haben wir Glück, gell? daß der Indianer unsere Sprache
so gut versteht und für dich antworten kann.

FRAU HEDRICH *(kommt wieder)*

Wenigstens hab' ich noch für jedes einen Apfel gefunden.
Sind zwar so ziemlich meine allerletzten—aber man darf 20
doch das kleine Gemüse nicht so abzieh'n lassen, was?[5]

---

[5] *aber man darf doch das kleine Gemüse nicht so abzieh'n lassen, was?* but
one can't let the small fry go off without anything, right?

und ich kann ja doch nicht über Frau Wolperts Küche
gehen, während sie nicht da ist—Da nehmt! und trollt
euch!

*(Die Kinder nehmen, was sie bekommen haben, nicken stumm
mit den Köpfen, machen kehrt und marschieren im Gänsemarsch hinaus.)*

FRAU HEDRICH *(ihnen von der Tür aus nachsehend, dann die
Tür hinter sich schließend und sich daranlehnend, mit einem
Seufzer.)*

Meistenteils ist man froh, daß man nicht so was Kleines
5   noch mit durchschleppen muß, durch die Elendszeit. Aber
manchmal, wissen Sie—der Kleine, der mit den Federn,
war doch ein süßer Fratz, hm?

KIENLECHNER

Sie wären sicher eine gute Mutter, Frau Hedrich—

FRAU HEDRICH

Ja, wenn! Heute abend ist Tanzvergnügen in Oberndorf.
10   Erst am Nachmittag für die Kinder, dann abends für die
Erwachsenen. Ich möchte da wohl gerne auch hin.

KIENLECHNER

Ja?

FRAU HEDRICH

Aber nicht allein. Wissen Sie, es wäre ja weiter nicht
schlimm. Es ist nur immer wegen des Zurückkommens.
15   Es ist doch jetzt oft allerhand Gesindel um die Wege, das
ist für eine alleinstehende Frau, wissen Sie, bei Nacht,
nicht so angenehm. Hätten Sie nicht vielleicht mal Lust?

KIENLECHNER

Lassen Sie mich einmal überlegen, Frau Hedrich. Heute
abend—das paßt eigentlich nicht so besonders, ich wollte

noch arbeiten. Aber ich glaube, da ist wieder jemand ins
Haus gekommen. . .

(Therese von rechts. Im Mantel, wie sie vom Kirchgang kommt)

KIENLECHNER

Sie sind's, Therese!

FRAU HEDRICH *(vor sich, geärgert)*

Ach! muß die grade 'reinplatzen.

THERESE

Ich bin der Mama und der Sixtin vorausgelaufen, weil 2
—also, ich bin vorausgelaufen.—Habt ihr fleißig gemalt?

KIENLECHNER

Grade haben wir Besuch gehabt.

THERESE

Die Faschingskinder,[6] ja? Die habe ich von weitem marschieren sehn.—Aber wie wird denn das Bild? *(Sie geht
hin, betrachtet, vergleicht)* Schön!   10

FRAU HEDRICH

Herr Kienlechner sagt, ich hätte noch nicht das richtige
Lächeln—auf dem Bilde nämlich.

THERESE

Welches ist denn das richtige Lächeln?

KIENLECHNER *(unwillkürlich halblaut)*

Ihres, Therese.

THERESE

Wie bitte?   15

---

[6] *Die Faschingskinder:* The Fasching children; children dressed in fancy
costumes at Shrovetide (Mardi gras).

KIENLECHNER *(in anderem Ton, das ihm entschlüpfte Wort*
gleichsam auslöschend)
Das ist ja eine Doktorfrage, die Sie da aufwerfen—

THERESE
Es ist schön draußen! die Sonne scheint! Und jetzt im
Januar haben die Fichtenspitzen, sobald sie nur ein
bißchen Sonne bekommen und der Schnee etwas davon
5 abgefallen ist, schon einen solchen Ausdruck von Erwartung—

KIENLECHNER
Was für Erwartung?

THERESE
Frühlingserwartung! Und das nimmt jetzt jeden Tag zu.
Heut' ist schon der siebenundzwanzigste Januar.

KIENLECHNER
10 Hm. Da haben wir es noch weit bis zum Frühling.

THERESE
Ich weiß schon, daß Sie mich jetzt belehren werden, wie
der Großvater seine Enkeltochter: Januar, Februar, März,
Frühlingsanfang einundzwanzigsten März. Und so weiter.
—Das macht nichts, das bin ich schon gewöhnt, das
15 Großväterliche. Fangen Sie nur inzwischen schon an mit
der Belehrung, ich komme gleich wieder.
(Rechts ab)

FRAU HEDRICH
Ein frecher Schnabel![7]

KIENLECHNER
Und ein lackierter Großvater. Er müßte ein Esel sein,
wenn er nicht merken sollte, was man von ihm hält. . .

[7] *Ein frecher Schnabel!* A saucy bird!

FRAU HEDRICH

Hören Sie, Kienlechner. . . also heute abend in Oberndorf,
das wird nichts?

KIENLECHNER

Doch, doch! Wir werden Sie nicht in die Hände der
Räuber fallen lassen. Ich komme mit.

FRAU HEDRICH

Tatsächlich? Das freut mich aber! Also, ich verlasse mich 5
dann drauf?

KIENLECHNER

Sie können sich darauf verlassen. Das heißt: Kostüm habe
ich keins. Es wäre denn, daß man mir diesen Malerkittel
dafür gelten läßt.

FRAU HEDRICH

Da ist doch, für die Erwachsenen, kein Kostümzwang. 10
Die meisten haben doch nichts mehr! Ich wüßte auch nicht,
woher nehmen.[8]

KIENLECHNER

Wann fängt's denn an?

FRAU HEDRICH

Um acht.—Oder wir könnten schon um sieben hingehen
und dort erst zusammen Abendbrot essen, was?   15

KIENLECHNER

Können wir auch.

FRAU HEDRICH *(etwas verwundert über ihren Erfolg)*
Sie sind aber wirklich nett heute.

---

[8] *woher nehmen:* where to get it (correctly: *woher ich es nehmen sollte*; the
phrase as given here is reminiscent of the German saying: *woher nehmen
und nicht stehlen.)*

KIENLECHNER

Was heißt heute? Ich bin doch immer nett.

FRAU HEDRICH

Nein, wissen Sie, das wechselt.—Aber Sie tun mir wirklich
eine Freude an, wenn Sie mich heute mitnehmen; und ich
möchte ganz gern haben, daß Sie mich auch richtig ver-
5 stünden. Denn vermutlich denken Sie doch bloß über mich,
daß ich so eine von den zudringlichen Weibern bin, die
sich einem anhängen und die man nicht mehr losbringt.

KIENLECHNER

Aber woher denn!

FRAU HEDRICH

Das wär' ja auch noch schöner, wenn Sie es nicht wenigstens
10 abstreiten würden! Aber gedacht haben Sie's deswegen doch
ungefähr so, und haben so wie alle Männer keine Ahnung,
wie einer Frau eigentlich zumute ist. Da ist nun der Mann
weg, in Rußland, jahrelang. Einmal sprach ich mit einem
Kameraden von ihm, der meinte, er sei wohl gefangen.
15 Man hört nichts, man weiß nichts. Kommt er wieder?
Kommt er nicht wieder? Man hofft's jeden Tag, im
Anfang bildet man sich ein, man müßte ihn mit so einer
festen Hoffnung einfach herzwingen können, verstehen Sie
das? Aber man kann ja gar nichts zwingen, nichts kannst
20 du machen als warten, bis du schwarz oder vielmehr grau
wirst. . . Und von Pappe ist man doch schließlich nicht[9]
und auch keine aufgemalte Freske, oder wie sich das nennt,
man lebt schließlich, und möchte auch mal wieder unter
Menschen, und vergnügt sein, und seinen Kummer mal
25 einen Abend lang vergessen. Aber wenn man da ohne
Begleitung in so ein Lokal kommt, dann macht sich jeder

---

[9] *Und von Pappe ist man doch schließlich nicht:* after all, one is not made of
cardboard (i.e., one is made of flesh and blood).

unverschämte Pinsel an einen 'ran und bildet sich ein,
er kann sich alles erlauben,—und dann wissen Sie ja auch,
wie die Menschen sind und wie sie gleich reden.—Aber
Sie gefallen mir, Kienspan, ich sag's Ihnen offen, ich bin
von jeher eine ehrliche Haut gewesen. Und wenn ich 5
Ihnen auch nicht so ganz gefalle, das macht nichts, ich
bin Ihnen deswegen doch dankbar, daß Sie mitkommen
wollen.

KIENLECHNER

Es gibt verschiedenerlei Art von Gefallen. Wenn Sie mir
auf keine Art gefallen würden, Frau Hedrich, würde ich 10
weder mit Ihnen tanzen gehen, noch täte ich Sie malen.—
Man hat nicht den Krieg und das Soldatsein auf eine so
schonungslose Art durchgeschmeckt wie ich, ohne daß man
die leeren Höflichkeiten ein bißchen abstreift. Was unsereiner sagt, dürfen Sie getrost glauben.   15

FRAU HEDRICH

Danke. Bin völlig im Bilde.—Aber einen vergnügten
Abend werden wir uns immerhin leisten, was?

KIENLECHNER *(ihre hingestreckte Hand ergreifend)*
Abgemacht.

FRAU HEDRICH

Und *(Finger auf den Mund, da sie Therese wiederkommen
hört)* es bleibt hübsch unter uns, hm?[10] *(Der wieder ein-* 20
tretenden THERESE *lebhaft entgegensprechend)* Kienlechner
behauptet, Maler und Soldaten wären die glaubwürdigsten
Menschen.

THERESE

Ja?

---

[10] *es bleibt hübsch unter uns, hm?* it will remain a nice secret between us,
hm?

KIENLECHNER

Ich habe nicht behauptet, daß sie glaubwürdiger wären als andere.

THERESE

Ich wollte, Sie erzählten einmal etwas von Ihrer Soldatenzeit.

KIENLECHNER

5 Was soll man da erzählen?—Es gab tausend und tausend Formen für das immergleiche Erlebnis: des Ausgesetztseins, des Hinuntergestoßenseins ins Grundlose.[11] *(Nach einer Pause)* Stellen Sie sich nur vor: das Postenstehen. Moor, Nebel, der Himmel kaum etwas heller als der Boden,
10 schon die nächsten Bäume kaum noch unterscheidbar. Eine endlose, lange, kalte finnische Winternacht, aus der jeden Augenblick etwas Tödliches hervorbrechen kann.

FRAU HEDRICH

Sie machen einen aber wirklich gruseln!

KIENLECHNER

Entschuldigen Sie.—Ich erzähl' das nicht wegen der
15 äußeren Gefahr, die meistens gar nicht so sehr schlimm ist. Sondern wegen dem, was die Seele dabei erfährt. Sehen sie, man steht, und der Nebel bewegt sich lautlos, und man starrt in diese lautlose Bewegung hinein und wird schließlich irre daran, ob es überhaupt irgendein
20 Festes irgendwo in der Welt noch gibt. Da ertrinkt die Seele in einer schrecklichen Einsamkeit—und mancher fängt dan wohl an, leise etwas vor sich hin zu reden, genau wie die kleinen Kinder im dunklen Wald, die sich fürchten. Es sind nicht die Russen, vor denen man sich

---

11 *das immergleiche Erlebnis: des Ausgesetztseins, des Hinuntergestoßenseins ins Grundlose:* the experience which occurred again and again: of being exposed, of being thrust into bottomlessness.

fürchtet. Es ist das Gefühl, daß diese Nacht, wie sie da
ist, diese nächtige Welt selber uns nicht wohlwill, sondern
böswill. Aber beim Klang der eigenen Stimme kann es
besser werden. Es ist dann auf einmal, als wäre noch jemand
da. Es ist auch sehr gut, wenn man ein Gedicht weiß, oder 5
am besten noch, wenn man das könnte, ein Gebet.—
Übrigens kann sogar die kleine, still glühende, die Hand
erwärmende Zigarette ein guter Kamerad sein.

THERESE

Eine Zigarette, ach, wirklich?

KIENLECHNER

Ja, Therese, die menschliche Seele ist eine komische Mi- 10
schung aus Genügsamkeit und nie gesättigtem Verlangen!

FRAU HEDRICH

Aber steht man denn da ganz allein? Hat man niemand
bei sich?

KIENLECHNER

Der nächste Posten ist auf Rufweite.—Sein Gewehr hat
man im Arm. Aber das Gewehr ist ja nie ein Kamerad. 15
Das Gewehr ist nur eine Angstknarre.

THERESE

Angstknarre?

KIENLECHNER *(lacht)*

Das hätte ich doch nie gedacht, daß ich das schöne Wort
einmal aus Ihrem Mund zu hören bekäme! Ja, wir nannten
es Angstknarre, weil ein anständiger Mensch es nur dann 20
wirklich benützte, zum Töten nämlich, wenn er Angst
hatte. . . wenn er den Andern, den Feind, nicht an sich
heranlassen wollte. Es ist so widersinnig: man will den
Tod nicht—und hält ihn an sich gepreßt, man hat Angst

vor ihm. . . und sendet ihn selber von sich aus!—Schau'n
Sie mich nicht so erschrocken an! Es kommt gar nicht so
furchtbar oft vor, wie Sie vielleicht glauben. Ich will mich
nicht besser machen als ich bin, aber ich habe wirklich,
5 obwohl ich lange im Krieg war, nicht viele Menschen mit
Willen und Bewußtsein getötet.—Zwar, ein einziger ist
auch schon zu viel.

THERESE

Ich bin fest überzeugt, daß Sie niemals etwas tun würden,
was nicht recht ist.

FRAU HEDRICH

10 Da hören Sie's, Kienlechner! Wo man solch einen felsen-
festen Glauben zu Ihnen hat, da können Sie doch ganz
zufrieden sein. Aber ich sehe, für mich wird's Zeit, wenn ich
im Dorf noch was zu Mittag kriegen will—und kochen mag
ich heute nicht, dafür ist Sonntag.—Also, adjüs.

KIENLECHNER

15 Und danke schön für's geduldige Sitzen.

FRAU HEDRICH

Bitte, bitte. So übermäßig geduldig war ich ja gar nicht
einmal. *(Unter der Tür, zu Therese)* Da kommt auch grade
Ihre Mutter zurück. Guten Morgen, Frau Wolpert.

NANNA *(noch draußen)*

Guten Morgen.

*(*FRAU HEDRICH *ab.* KIENLECHNER *und* THERESE *schweigend, bis
Nanna ihren Mantel draußen abgelegt hat und hereinkommt.
Kurz nach ihr* SIXTINA, *die nur allen zunickt und gleich quer
durch den Raum in ihre Küche geht.)*

NANNA

20 Wir haben eine gute Predigt gehört. Ziemlich voll war's.

Grüß Gott, Kienspan. Für dich hab' ich eine Neuigkeit.
Die Sixtin läuft in ihre Küche, das ist recht: daß es mit
unserem Essen nicht zu spät wird. *(Von Therese zu Kienlechner schauend)* Ihr seht ja beide so ernst aus, Kinder?
Was gibt's denn?   5

KIENLECHNER

Nichts Besonderes.

THERESE

Doch, Mama. Er hat vom Krieg erzählt.

KIENLECHNER

Ich hätte es nicht tun sollen. Sie nehmen es viel zu schwer,
Therese—

NANNA

Daß ihr zwei auch immer noch Sie sagt, wie zwei fremde   10
Leute!

THERESE

Laß es nur dabei. Es ist mir ganz recht so. Sonst würden
wir ganz und gar auf den Großvater- und Onkelton
kommen, den er sowieso schon immer anschlägt.

KIENLECHNER

Zu Ihnen, Therese?   15

NANNA

Kienspan, ich glaub', du grübelst viel zu viel nach über
das, was gewesen ist. *(Zu* THERESE*)* Du solltest ihn auch
nicht immer wieder über den Krieg befragen, Kind.
(Wieder zu Kienspan gewendet) Ich verstehe schon, daß
man nicht krampfhaft davon wegdenken kann. Das geht   20
nicht. Aber warum die Vergangenheit immerfort wie ein
Schwert gegen sich selber richten? Das ist ja auch nicht
notwendig.

KIENLECHNER

Nein.

NANNA

Ihr Leute, wie ihr da so aus dem Krieg kommt, ihr scheint
mir alle miteinander einen großen Fehler zu haben: ihr
seid ganz verliebt in eure eigene Traurigkeit. Ich glaube,
5 ihr meint alle, wenn ihr nicht einen Duft ausströmt wie
ein toter Hase, der zu lang' an der Luft gehangen hat,
dann seid ihr nicht auf der Höhe der Zeit.[12]

KIENLECHNER

Wer den Schaden hat, braucht für den Spott nicht zu
sorgen.[13]

NANNA

10 Mein Lieber, ich spotte ja nicht über dich, ich möchte dich
ein bissel aufrütteln! das ist's doch!—Schau, von dem,
was ich da meine, hat mein Hermann gar nichts gehabt,
und das war das Schöne bei ihm! Er ist oft hereingefallen,
auf irgendeinen Schwindel, vor lauter Gutglauben— aber
15 er hat immer wieder frisch hineingelangt ins Leben, wie
das Kind in einen Sandhaufen. Und das soll der Mensch!
das muß er! Darum hat's mich auch so gefreut am ersten
Abend, wo du gekommen bist: daß du so vergnügt warst,
so gar nicht kopfhängerisch, viel lustiger, wie ich's von
20 früher her an dir gekannt habe.

KIENLECHNER

Am ersten Abend! Als ich hier bei euch angekommen bin
wie in einem Wunderland!

---

[12] *dann seid ihr nicht auf der Höhe der Zeit:* then you are not up to date.
[13] *Wer den Schaden hat, braucht für den Spott nicht zu sorgen:* The laugh is
always on the loser.

NANNA

Na, und sind wir jetzt kein Wunderland mehr? Haben
wir dich enttäuscht?

KIENLECHNER

Nanna!

NANNA

Der Pfarrer hat heute auch wieder gesagt, auf seiner
Kanzel droben, mit seinem guten alten Gesicht, das er 5
hat: „Es ist genug, daß ein jeder Tag seine eigene Plage
habe."[14] Das heißt doch: Laßt Gott machen. Laßt ihn
wirklich machen, er versteht's schon.—Schau, auf unserm
Kirchweg, links im Wald drinnen, ist erst noch im letzten
Kriegsmonat eine Fliegerbombe gefallen. Der Wald hat 10
ausgeschaut! Zersplittertes, zerrissenes Holz ist herum-
gelegen, der Boden aufgerissen. Und jetzt, nach den paar
Jahren: das Holz ist weggeholt, das aufgerissene Erdreich
alles grün überwuchert, sogar nachgepflanzt hat das
Forstamt wieder. Alles wächst wieder zu. Du wirst es 15
seh'n, wenn der Schnee erst wegtaut. Es geht weiter. Es
lebt weiter!

KIENLECHNER

Hier, vielleicht. Aber die Städte, Nanna?

NANNA

Da kommt's auch, mit der Zeit. Man muß nur Geduld
haben, Vertrauen haben. Darum wollte ich's ja so gern, 20
daß du zu uns kämst, weil ich mir eingebildet habe, daß
man dir hier bei uns in unserm Winkel ein bissel ein neues
Vertrauen zum Leben beibringen kann.

---

[14] *Es ist nicht genug, daß ein jeder Tag seine eigene Plage habe:* Sufficient unto
the day is the evil thereof.

KIENLECHNER

Könnt ihr auch!—wenn's überhaupt jemand kann, dann
ihr.

NANNA

Das ist schön, daß du das sagst, das hören wir gern, gell,
Therese? ich habe mir heute gedacht, auf dem Heimweg
5 von der Kirche habe ich's gesagt, zu der Sixtin—ich, ich
will mich auch nicht mehr in das Schwere und Schmerz-
liche und Unwiederbringliche, das gewesen ist, einschließen wie in einen Sarg. Das ist nicht der Sinn vom
Treusein, kommt es mir vor. Man muß das Herz auftun,
10 wenn die Welt aufgehen soll! Das Jahr ist ja auch schon
wieder im Wachsen und die Tage werden länger!

KIENLECHNER

Du bist die Mutter von deiner Tochter. Therese hat
heute auch schon von der Frühlingserwartung gesprochen,
die man den Fichten anmerken kann.

NANNA

15 So, hat sie das? Recht hat sie gehabt.

KIENLECHNER

Sicher. Für euch. Ob's für mich auch gilt, und ob ich da
in euren Frieden und eure Zuversicht hineinpaß'— das
ist mir doch recht fraglich.

NANNA

Mir aber nicht! Im Gegenteil: ich habe grade heute etwas
20 für dich angebahnt, was vielleicht wichtig sein kann:
damit du Arbeit bekommst und nicht als Müßiggänger
herumzusitzen brauchst. Denn das weiß man schon, von
euch Männern, daß ihr das nicht aushaltet. Aber du willst,
scheint's, meine Neuigkeit gar nicht hören. . . weil du
25 nicht einmal fragst.

KIENLECHNER

Nein, aber sehr, Nanna! Was ist's denn?

NANNA

Die alte Baronin Arnsdorf war in der Kirche, eine gute,
brave, fromme alte Haut. Die wohnt jetzt hier in ihrem
Schloß Arnsdorf, das du vielleicht von früher kennst; wo
damals nur die Guts- und Forstverwaltung drin gewesen   5
ist. Da ist sie jetzt seit der Bombenzeit selbst hineingezogen.
Und der habe ich heute erzählt, daß ich einen Gast hier
habe, der malen kann.—Sie hat bei sich im Hause *(an den
Fingern abzählend)* erstens ihre Schwester und ihren
Schwager, aus Pommern—sie selber ist nicht verheiratet—   10
zweitens dessen noch nicht alte, leidlich hübsche, heirats-
fähige Tochter... da mußt du aber erst mich um Erlaubnis fragen!

THERESE

Du bist ja ganz übermütig, Mama—

NANNA

Drittens eine saure alte Gesellschafterin. Viertens eine   15
sechsköpfige Evakuiertenfamilie aus München, die im
Schloß einquartiert sind—außerdem daß in dem andern
Flügel, wie gesagt, die ganze Guts- und Forstverwaltung
drin sitzt. Und alle diese Leute kannst du nach und nach
malen, Kienspan, und das Schloß kannst du malen, und   20
weiß der liebe Himmel was noch alles, und kannst dir
da ein halbes Leben damit zu tun machen. Und die Arnsdorf also, die Alte, habe ich neugierig auf dich gemacht,
und sie erwartet dich heute abend bei sich zum Essen.

KIENLECHNER

Heute abend?—Da kann ich nicht.   25

NANNA

Wieso kannst du nicht? Natürlich kannst du! Es ist zu
Fuß, von hier, bei dem Schnee, vielleicht zwei Stunden
zu gehen, ein wunderschöner Weg über die Dorfweide
und dann durch den Wald, und ich dachte, wir könnten
5   zusammen hinüberwandern, Kienspan. Sie hat nämlich
mich auch eingeladen. Sie wollte das Kleine auch haben,
aber *(etwas schnell, wie in einer leichten Verlegenheit, zu*
THERESE*)* ich habe für dich abgesagt, weil ich weiß, daß du
die Nichte von der alten Arnsdorf nicht so magst, und
10   sonst alles nur ältere Leute sind, was für dich nicht viel
Sinn hat, scheint mir.

THERESE

Schon gut, Mama.

NANNA

Man kommt ja auch nicht gern zu so vielen zum Essen,
heutzutage.[15]

THERESE

15   Natürlich, Mama.

KIENLECHNER

Es tut mir leid. . . aber ich kann heute unmöglich mitkommen.

NANNA

Wieso denn nicht, Kienspan?

KIENLECHNER

Ich habe Frau Hedrich versprochen, sie heute zum Abend-
20   essen und zu einem Tanzfest nach Oberndorf zu begleiten.

---

[15] *Man kommt ja auch nicht gern zu so vielen zum Essen, heutzutage:* One
doesn't want to take so many along to a dinner, nowadays.

NANNA

— —Ach so. Das ist es! *(Wider Willen ziemlich scharf und kühl)* Und das kann man nicht rückgängig machen?

KIENLECHNER

Nein, das—das geht nicht.

NANNA

Dann allerdings—

KIENLECHNER

Nanna: es geht wirklich nicht. Ich habe ja das im voraus 5 nicht wissen können, was du da mit der Baronin Arnsdorf für mich ausgemacht hast. . .

NANNA

Und ich habe nicht wissen können, daß du lieber mit der Hedrich tanzen gehen willst, als mit deinen alten Freunden zusammen zu sein. Ich habe nicht wissen können, daß 10 du gegen die Hedrich Verpflichtungen hast, denen gegenüber alle übrigen Rücksichten nicht in Frage kommen!

THERESE

Aber, Mama! was machst du denn?

NANNA *(geht heftig durchs Zimmer und wieder zurück, während die beiden andern verlegen dabeistehen; dann kommt sie auf Kienlechner zu und streckt ihm die Hände hin.)*
Das Kind hat recht. Ich habe Unsinn geredet. Entschuldige bitte.   15

KIENLECHNER *(küßt ihre Hände)*

Nanna—

NANNA

Natürlich mußt du deine volle Freiheit haben. Und hast sie auch! Es hat mich nur so aufgeregt, weil. . . weil man

ja wirklich dein Bestes will und weil die Sache dort bei
den Arnsdorfs für dich wichtig werden kann, für deine
Arbeit, einfach für deinen Beruf, verstehst du. . . . und
weil ich durchaus nicht haben möchte, daß die Baronin
5   gleich von vornherein einen Eindruck der Unzuverlässigkeit von dir bekommt.

THERESE

Das kann sie doch gar nicht—wenn überhaupt nichts
mit ihm ausgemacht war. Man kann doch ganz leicht
einen andern Tag für den Besuch im Schloß verabreden.

NANNA

10   Man hätte ja auch die Sache mit der Hedrich verschieben
können.

KIENLECHNER

Nein, Nanna. Erst etwas mit ihr vereinbaren, und dann
sagen: jetzt will die Baronin mich haben, das ist wichtiger—
—das wäre doch eine ganz unmögliche, ganz mutwillige
15   Kränkung!
Und schließlich ist Frau Hedrich sehr freundlich bereit
gewesen, sich malen zu lassen, und hat mir ihren ganzen
Sonntagvormittag geopfert. Es ist nicht mehr als recht,
daß ich ihr auch etwas zu Gefallen tue.

NANNA

20   Geopfert!—Bildet euch doch nicht ein, daß die Hedrich
nicht wer weiß wie stolz darauf ist, weil der Kienspan
hier in Ried nichts Eiligeres zu tun gehabt hat, als ausgerechnet sie zu malen!
Übrigens ist mir grade heute nach der Kirche eine Sache
25   über die Hedrich erzählt worden, die du vielleicht doch
lieber wissen sollst. Es soll nämlich eine Klage der Militärregierung gegen sie unterwegs sein. Ihr Mann scheint
während des Krieges Verpflegungsobmann oder etwas

der Art in einem Gefangenenlager gewesen zu sein, und
sie muß da mit der Verwahrung von Wertsachen zu tun
gehabt haben, die ein Gefangener ihr anvertraut hatte.

THERESE

Mama! Diese Geschichte kenn' ich! Die hat mir Lore
Hedrich einmal von sich aus ganz genau erzählt!   5

NANNA

So? Das ist ja interessant.

THERESE

Ja, diese Wertsachen von einem Gefangenen hat sie an
sich genommen, Mama, um sie vor dem Kommandanten
des Lagers zu retten, verstehst du? weil der kein anständiger Mensch war. Und der Gefangene hat sie nach- 10
her von ihr zurückbekommen.

KIENLECHNER

Ich muß auch sagen, ich könnte niemals glauben, daß
Frau Hedrich etwas Unanständiges tun würde.

NANNA

So? Sie ist gerade kein Wunder von Vornehmheit. . . . wenn
du mir erlaubst, daß ich das sage.   15

THERESE

Aber sie ist anständig!

NANNA

Wir wollen es hoffen.—Kinder, ich sehe da auf der Straße
den Polizeiwachtmeister kommen, und es ist ganz möglich,
daß das mit dieser Sache zu tun hat. Man hat mir im Dorf
heute schon angedeutet, daß wahrscheinlich Nachforschun- 20
gen gemacht würden. Die Hedrich ist nicht zu Haus, gell?

THERESE

Zum Mittagessen gegangen.

KIENLECHNER

Kommt der Polizist hier herein? *(Auf die Staffelei zeigend)*
Da werd' ich das Feld räumen müssen.

NANNA

Nein, warum denn? Er wird doch wahrscheinlich nur
5   nach Frau Hedrich fragen und sie dann entweder im
Gasthaus aufsuchen oder wiederkommen.
(Es klingelt)
Da ist er. Machst du ihm auf, Thereserle?

(THERESE geht hinaus. NANNA, die Küchentür öffnend.)

Sixtina, bring uns ein Schnäpschen! *(Schließt wieder die
Tür)* Wenn auch der Schnaps noch so rar ist, die Polizei
10   muß man bei guter Stimmung halten.

*(THERESE kommt wieder mit dem Wachtmeister Stuhlreiter,
in grüner Polizeiuniform.)*

STUHLREITER

Grüß Gott, Frau Wolpert.

NANNA

Grüß Gott, Stuhlreiter. *(Sie gibt ihm die Hand)* Das ist
unser Gast, der Herr Kienlechner. An ihn erinnern, von
früher her, werden Sie sich nicht mehr, Sie sind zu jung
15   —er war nämlich vor vielen Jahren schon einmal bei uns.
Aber da war der Stuhlreiter noch kein Wachtmeister,
sondern hat höchstens seine ersten Hosen zerrissen.

STUHLREITER *(lacht)*

Leicht möglich, Frau Wolpert.

NANNA

Der Kienlechner ist nämlich ein großer Maler, da sehn Sie's.

(Auf die Staffelei, dann auf das Bild an der Wand zeigend.)
Meinen Mann selig hat er auch gemalt.

STUHLREITER

Aha.

NANNA

Gelt, Sie wollten zur Frau Hedrich? Hab ich's erraten? 5
—Aber die ist nicht im Haus.

STUHLREITER

Wenn ich mir erlauben darf zu sagen, Frau Wolpert: das ist mir ganz recht so, für dieses Mal. Ich hätt gern erst einmal wegen dieser Frau—also—ein persönliches Gespräch mit Ihnen geführt. 10

NANNA

Müssen wir da allein sein?

STUHLREITER *(reibt sich das Kinn)*

Wenn—es wäre mir schon recht, Frau Wolpert.

NANNA

Ja, da kann man nichts machen. *(Zu* KIENLECHNER *)* Willst du nicht hinüber in die Küche, ins Warme?

KIENLECHNER

Danke. Ich möchte ganz gerne meine Pinsel auswaschen 15
und *(auf seinen Kittel zeigend)* mich wieder ein bißchen zivilisieren. *(Rechts ab)*
(Sixtina aus der Küche mit einem eingefüllten Schnapsglas auf einem Teller. Sie setzt es auf den Tisch und geht wieder hinaus)

THERESE

Mama—ich bin bei der Sixtin: wenn ihr mich braucht.

NANNA

Ja, ich werde dich schon rufen, wenn's nötig sein sollte. *(Therese folgt* SIXTINA *in die Küche;* NANNA, *die sich an den Tisch gesetzt hat)* Aber nehmen Sie doch Platz, Stuhlreiter.

STUHLREITER

5   Danke schön. Einen Moment, ich schaue mir da grade das Bild an, von dem Kunstmaler da. Das soll doch jedenfalls das Porträt von der betreffenden Frau darstellen, oder?

NANNA

Von der Hedrich, ja, freilich.

STUHLREITER

Ist auch gut getroffen. Ich habe sie schon laufen sehen.
10   Eine hübsche Frau. *(Er kommt zum Tisch, setzt sich* NANNA *gegenüber.)* Es möchte mich interessieren, Frau Wolpert —das heißt, nicht mich, ich frage jetzt von Amts wegen— ob die Frau Hedrich das Bild bei dem Kunstmaler bestellt hat?

NANNA

15   Wieso?

STUHLREITER

Ja, ich meine, ob sie's bezahlen will?—Denn, soviel ich weiß, sind die Gemälde doch heutzutage—also— horrend teuer, und die Frau, als Evakuierte, wenn sie auch eine Anstellung in einem Büro in Buchdorf hat, kann normaler-
20   weise keine großen Sprünge machen.[16]

---

[16] *kann normalerweise keine großen Sprünge machen:* cannot normally afford any great extravagances.

NANNA

—Ich glaube nicht, daß der Herr Kienlechner ihr für das
Bild—wenn śie's überhaupt bestellt hat—einen großen
Preis machen wird. Nein, ich weiß sogar genau, daß er
es nicht für sie, sondern aus eigenem Interesse malt.

STUHLREITER

So. Das wäre schon eine gewisse Entlastung für die Frau. 5
—Besteht vielleicht zwischen dem Herrn Kunstmaler
und der Frau Hedrich—also—eine nähere Beziehung?

NANNA *(verfinsterten Gesichts)*

Da bin ich überfragt, Stuhlreiter. Nein, ich glaube: bisher
jedenfalls nicht.

STUHLREITER

Aha. *(Zieht sein Taschenbuch hervor, notiert sich etwas.)* 10

NANNA

Wollen Sie denn aufschreiben, was ich sage?—Ich weiß
ja gar nichts!—Trinken Sie erst einmal einen Schluck,
Stuhlreiter.

STUHLREITER

Ich bin so frei. *(Er nimmt und trinkt.)* Auf Ihr Wohl, Frau
Wolpert.—Das ist noch ein guter!   15

NANNA

Auch nicht mehr, wie er im Frieden war.—Erklären Sie
mir doch: was liegt eigentlich vor gegen die Frau Hedrich?
Ich kenne mich ja gar nicht aus.[17]

STUHLREITER

Also, es liegt ein Verdacht vor gegen die Frau, sich während
des Krieges Wertsachen eines amerikanischen Kriegs- 20

---

[17] *Ich kenne mich ja gar nicht aus:* I don't know what it is all about.

gefangenen widerrechtlich angeeignet zu haben. Der Herr
Polizeikommissar in Buchdorf möchte aber haben, bevor
man—also—gegen die Frau polizeilich vorgeht—daß eine
persönliche Nachforschung gemacht wird.
5 Wegen dem bin ich gekommen. Ich muß Sie dienstlich
darauf aufmerksam machen, Frau Wolpert, daß Ihre Aussage für die Wahrheitsermittlung von der höchsten Bedeutung ist und daß—also—für die Frau Hedrich sehr
viel davon abhängen kann, ob sie günstig über sie aus-
10 sagen können. Sie sind naturgemäß verpflichtet, auch wenn
Sie ungünstige Eindrücke gehabt haben, dieselben—also—
der Polizei nicht vorzuenthalten.

NANNA *(nach einem Schweigen)*
Was passiert dann der Frau Heidrich—wenn die Sache
ungünstig für sie ausgeht?

STUHLREITER
15 Ja, es muß—also—bei dem Verdachte eines Deliktes gegenüber einem Angehörigen der Besatzungsmacht naturgemäß sehr scharf vorgegangen werden. Die Frau Hedrich
kann gegebenenfalls gleich in Untersuchungshaft kommen.

NANNA
Wie? Weg von hier? Weg aus der Gegend?

STUHLREITER
20 Jawohl, Frau Wolpert.

NANNA
—Nein, daß ich eine Unehrlichkeit von ihr erlebt hätte,
das kann ich in keiner Weise behaupten.

STUHLREITER
Daß Ihnen einmal etwas weggekommen wäre?

NANNA
Nein!

STUHLREITER *(sein Notizbuch in der Hand)*

Sie würden also aus Ihrem persönlichen Eindruck der Frau Hedrich eine Aneignung fremden Eigentums nicht zutrauen?

NANNA

Nein. *(Etwas unruhig, indem sie aufsteht)* Ich glaub' aber, es ist am besten, Stuhlreiter, daß Sie meine Tochter 5 sprechen. Sie wird Ihnen grad zu der Angelegenheit mit den Wertsachen eine Auskunft geben können, da sie mit der Frau Hedrich schon früher einmal darüber gesprochen hat.—

STUHLREITER

Aha! 10

NANNA *(die Küchentür öffnend)*

Therese!

THERESE *(von links)*

STUHLREITER *(der gleichfalls aufgestanden ist)*

Ihre Frau Mutter hat mir soeben mitgeteilt, Fräulein Wolpert, daß Sie zu der Angelegenheit mit den Wertsachen von einem Kriegsgefangenen, wegen denen die Frau Lore Hedrich in Verdacht einer widerrechtlichen 15 Aneignung steht, eine zweckdienliche Angabe machen können.

THERESE

Ja, das kann ich! Ich weiß genau, wie das gewesen ist, weil ich schon vor Wochen einmal mit Frau Hedrich zufällig darauf zu sprechen gekommen bin. Ihr Mann hat 20 im Krieg mit der Verpflegung von einem Gefangenenlager zu tun gehabt, irgendwo in Norddeutschland, und da konnte Frau Hedrich mit ihrem Mann zusammen

wohnen, und hat sich auch manchmal mit um die Gefangenen kümmern können.

STUHLREITER *(in sein Buch notierend)*

Aha.

THERESE

Und der Kommandant von dem Gefangenenlager muß
5 ein gemeiner Kerl gewesen sein—*(indem sie ihre Mutter
fragend ansieht)* Einer nach der neuen Mode, sagte Frau
Hedrich.

NANNA

Meine Tochter meint wahrscheinlich: nicht von den guten
alten Offizieren unsrer Wehrmacht, sondern von denen,
10 die durch die Partei, oder überhaupt durch die Kriegs-
umstände hochgekommen sind.

THERESE

Ja. Und der hat unter dem Vorwand, daß Diebstähle im
Lager vorkämen und daß er die Wertsachen der Gefangenen verwahren müßte, die Hand darauf gelegt—und
15 hat sie dann verkauft und verschoben,[18] und sich daran
bereichert. Und darum hat Frau Hedrich die Sachen von
einem Gefangenen an sich genommen, um sie für ihn zu
retten, verstehen Sie! und hat sie ihm dann später wieder
zurückgegeben.—Das ist ganz gewiß wahr, Herr Stuhl-
20 reiter. Die Frau Hedrich hätte ja auch damals, als sie mir's
erzählt hat, gar keinen Grund gehabt, mir etwas vorzuschwindeln.

STUHLREITER

So, so. Das hat jetzt freilich ein anderes Gesicht. *(Sein
Notizbuch schließend und wieder einsteckend)* Recht vielen

---

[18] *und hat sie dann verkauft und verschoben:* and then sold them and profit-
eered.

Dank, Fräulein Wolpert. Da bin ich sehr froh, daß ich mit
Ihnen habe Rücksprache nehmen können. Ich darf mich—
also—verabschieden. *(Er verbeugt sich gegen Mutter und
Tochter.)* Sollte mich freuen, im Interesse der Frau und
überhaupt, wenn sich die Sache so günstig aufklären 5
möchte.

NANNA

Ja, Stuhlreiter!
(Sie gibt ihm die Hand. Er geht ab. NANNA, *sobald er draußen
ist, ihre Tochter heftig umarmend.)*
Ich danke dir, mein Kind!

THERESE

Mama! Was ist denn? Du bist ja ganz heiß im Gesicht,
—und sogar Tränen in den Augen—   10

NANNA

Schon recht. Gehe nur zu! Schon recht. Laß mich allein,
einen Moment. *(*THERESE *in die Küche.* NANNA, *sich mehr-
mals bekreuzigend und vor sich hin murmelnd)* „Heilige
Maria, Mutter Gottes, bitte für uns Sünder, jetzt und in
der Stunde unseres Todes. Amen."   15
Es ist mir doch wahrhaftig die ganze Zeit so vorgekommen,
wie wenn Einer hinter mir stünde, und hätte mir böse
Gedanken und böse Worte eingeben wollen—nur um die
Hedrich loszuwerden! Bin ich froh, daß er mich doch zu
nichts Unrechtem gebracht hat! Und daß dann die Theres' 20
so gescheit war!
(Vor dem Bild)
Dem da hätt' ich auch meiner Lebtag nimmer frei unter
die Augen treten können.

(KIENLECHNER *von rechts)*

KIENLECHNER

Ist er wieder fort, der Polizist?

NANNA *(von einer großen Last befreit, blickt ihm mit leuchteuden Augen entgegen)*
Ja! Alles in Ordnung! Alles in Ordnung, Kienspan.—
Der Hedrich wird nichts Schimmes passieren.

KIENLECHNER
So. Das ist ja sehr gut. Ich bin froh darüber. Aber Nanna,
über die Hedrich, und warum ich mich um sie kümmere,
5   und auch, warum ich sie und nicht—wen anders gemalt
habe: darüber müssen wir noch einmal ganz offen miteinander reden, ja? *(Da sie ihn erwartungsvoll ansieht)* Nicht
jetzt. Jetzt auf keinen Fall. Zu der Sache müssen wir uns
richtig Zeit nehmen.

NANNA
10   Ja? Gut. Wir werden uns Zeit nehmen. *(Mit einem fröh-
lichen Lächeln)* Oder die Zeit, die richtige Stunde wird
einmal uns beim Kragen nehmen, gell, Kienspan?

DRITTER AKT

Der Nachmittag des folgenden Tages. Es ist noch früh, und die Fenster sind noch hell. Kienlechners Staffelei ist weggeräumt. SIXTINA UNFALT *sitzt allein am Tisch, vor einem Haufen Karotten, die zu schneiden sie beschäftigt ist. Sie horcht auf, da sie draußen etwas zu hören scheint.*

SIXTINA

Da ist doch jemand ins Haus gekommen?—Sie geht hin-über? Das ist die Frau Hedrich! Kann die schon zurück sein aus der Stadt?

(Sie schüttelt verwundert den Kopf, arbeitet eine Weile still weiter. Der alte WACHINGER *kommt.)*

WACHINGER

Wo ist denn die Frau? Noch nicht da?

SIXTINA

5 Noch in Arnsdorf, Wachinger.

WACHINGER

Weiß schon. Mit dem Kunstmaler ist sie hinüber! *(Er zwinkert.)* Meinst du, daß der sie etwa heiraten möchte?

SIXTINA

Was Sie daherreden!

WACHINGER

Ja!—warum denn nicht? Ist ja noch ein ganz sauberes
Ding, die Frau Wolpert! Der wäre ja dumm, wenn er sie
stehen läßt: Die Andere, die von Preußen, die hat ja nichts!
Wenn ich's wäre, ich wäre ja auf die Junge, auf die Therese,   5
losgegangen. Die wird schon noch gut! *(Mit Gebärde die
kommende Fülle andeutend)*—Zu mir hat auch der Pfarrer
gesagt, weil die Meinige noch eine Junge ist, sagt er: Daß
du dir noch so eine junge Frau genommen hast, Wachinger?
—Warum, sage ich, Herr Pfarrer, sage ich: Eine Junge   10
frißt auch nicht mehr! *(Er lacht vergnügt über seinen Witz,
während* SIXTINA, *da vom Pfarrer die Rede war, eher ein
ernstes Gesicht macht.)* Aber der Kunstmaler mag die
Frau Wolpert.—Na, weißt du, Sixtina, mir kannst du in
dieser Sache nichts vormachen. Wenn sie hinübergefahren   15
wären, dann könnte es sein, daß nichts dahinter ist. Aber
zu Fuß laufen, zwei Stunden, bei dem Schnee!—da hat's
etwas!

SIXTINA

Wenn doch die Pferde hier gebraucht worden sind, zum
Holzfahren.   20

WACHINGER

Ja, schon. Wegen dem wäre es mir ja recht gewesen, wenn
sie wieder daheim wäre! Weil ich jetzt die Holzverteilung
machen soll für die armen Leute, und da möchte allweil
die Frau gerne selber dabei sein. Macht man es nach dem
eigenen Geschmack, ist's ihr hernach nicht recht. Na ja,   25
sag' es mir halt gleich, wenn sie zurückkommt.
(Im Abgehen unter der Tür mit FRAU HEDRICH *zusammen-*

treffend, die in Hut und Mantel und mit einer kleinen Hand-
tasche hereinkommt.)
Guten Tag. *(Ab)*

FRAU HEDRICH

Guten Tag, Herr Wachinger.

SIXTINA

Nanu, Frau Hedrich? Kommen Sie, oder gehen Sie schon
wieder?

FRAU HEDRICH

5   Ich komme eben und gehe gleich wieder. Ich fahre weg
auf eine Woche oder noch länger. . . sagen Sie, ist niemand
da von den Wolperts?

SIXTINA

Alles ausgeflogen. Die gnädige Frau und Herr Kienlechner
waren heute im Schloß Arnsdorf zum Mittagessen einge-
10   laden, und sind noch nicht zurück. Das Fräulein Therese
ist nach dem Mittagessen spazierengegangen, ganz für
sich. Die kam mir heute nicht besonders lustig vor, und ich
weiß auch ganz gut, wo sie der Schuh drückt.[1]

FRAU HEDRICH

Ich kann Ihnen heute nicht zuhören, ich bin so. . . mir
15   ist so. . . Liebes Fräulein Unfalt. . . gutes altes Sixtinachen, hätte ich beinah gesagt—
SIXTINA *(immer in ihrer langsamen Art)*
Sie können mich nennen, wie Sie wollen, ich höre auf
Unfalt und höre auf Sixtina—Aber deutlich müssen Sie
20   sprechen, Frau Hedrich. Müssen bedenken, ich bin nicht
die Jüngste mehr. . .

FRAU HEDRICH

Ach, Fräulein Sixtinachen, Sie wissen ja gar nicht. . . Sie

[1] *wo sie der Schuh drückt:* where the shoe pinches her (i.e., what ails her).

wissen ja gar nicht, was alles passiert ist! Und ich kann
es doch eben selber noch immer gar nicht so recht
glauben!

(Sie fängt an zu weinen.)

SIXTINA

Aber, Frau Hedrich, was ist denn? Weinen Sie nur![2] Das
wird Ihnen gut tun auf alle Fälle. Man weiß ja, was alles   5
passieren kann auf der Welt. Meistens Trauriges, manchmal auch etwas Gutes. Und wir Menschen müssen es
'runterschlucken, wie's kommt.—Es ist doch nicht etwa ein
Trauerfall, Frau Hedrich? Weil Sie sagen, daß Sie verreisen müssen?   10

FRAU HEDRICH

Im Gegenteil, es ist—ich heule ja bloß, weil ich so glücklich bin. *(Sich die Augen wischend)* Komisch ist das schon.
Die ganze Zeit wünscht man sich etwas, jahrelang,—und
wenn's dann endlich so weit kommen soll, dann heult
man![3]   15

SIXTINA

Ich seh's Ihnen an: Sie haben Nachricht von Ihrem Mann
bekommen!

FRAU HEDRICH

Ja! Er kommt! Er wird heimgeschickt! Sein Transport ist
womöglich schon eingetroffen, bis ich nach Koburg
komme. Denn sein Brief war ja eben aufgehalten worden.— 20
Ich werde Ihnen gleich erzählen, ich habe noch Zeit. Wissen
Sie, man weiß ja, wie die armen Leutchen oft ankommen.
Aber solch einen Mann gesund pflegen—irgendwie schaffe
ich das schon. Wenn's nur wahr wird! daß er wirklich

---

[2] *Weinen Sie nur!* Weep away!
[3] *und wenn's dann endlich so weit kommen soll, dann heult man!* and if then
it finally comes true, then one weeps!

kommt! Wenn nur endlich, endlich mal was Gutes wahr
werden wollte! Zwar, ich kann eigentlich nicht daran
zweifeln, so bestimmt wie der Brief geschrieben ist. Aber
das waren doch Jahre jetzt, da ist doch überhaupt nie was
5 andres als nur Schlimmes vorgekommen. Rechts und links,
wo man hinhörte, wen man auch fragen mochte:—nichts
wie Unglücksnachrichten. Und nun soll auf einmal—auf
einmal sollte doch was Gutes, nun soll das Allerbeste
wahr geworden sein. . .

SIXTINA *(die mit der Hand hinterm Ohr teilnahmsvoll zuhörend,
gesessen)*

10 Frau Hedrich, ich kann Ihnen nur sagen: ich freu' mich mit
Ihnen.

FRAU HEDRICH

Ja, Sie freuen sich mit, Fräulein Sixtina. . . das weiß ich!
Sie sind auch selber ein Flüchtling wie ich, und haben
alles, was Sie besessen haben, und alle Ihre Angehörigen
15 verloren und sitzen im fremden Lande unter fremden
Menschen wie ich. . . Sie wissen, wie das alles tut, und wie
man da sein Stück Herzensfreude brauchen kann. Sie
haben ein menschliches Mitgefühl.

SIXTINA

Das haben andere auch.

FRAU HEDRICH

20 Ach, ich weiß doch nicht. . .

SIXTINA

Doch, lassen Sie sich das nicht einreden, daß die Menschen
so ungut, oder überhaupt so sehr verschieden wären. Das
sind sie gar nicht. Jeder hat seinen Packen zu tragen,
und jeder, wenn er sich abends in seinem Hemde, oder auch
25 ohne, zu Bette legt, ist dieselbe arme Kreatur, mit der
unser Herrgott Mitleid haben muß.

FRAU HEDRICH

Manche Menschen sollte man vielleicht mal bis aufs Hemd
ausziehen, damit ihnen die arme Kreatur zum Bewußtsein
kommt.

SIXTINA *(mit dem Finger drohend)*

Frau Hedrich, Frau Hedrich! Das ist nicht gut. Jetzt hat
Ihnen der Herrgott grade das Beste gegeben, was er Ihnen 5
überhaupt geben konnte—und Sie wollen den Mund
auftun gegen Ihre Mitmenschen.

FRAU HEDRICH

Nein. Will ich nicht. Sie haben recht.

SIXTINA

Und Sie werden auch den Menschen hier nichts Ungutes
nachsagen können. Ich wenigstens, ich müßte lügen, wenn 10
ich behaupten wollte, daß ich von meiner gnädigen Frau
je was anderes als die größte Güte erfahren hätte, und ich
weiß, daß ihr Herz klar ist wie Wasser, ja, so klar und
durchsichtig wie Wasser im Glas *(als ob sie ein Glas in der*
Hand hielte und gegen das Licht höbe), wo man so gegen 15
das Licht durchgucken kann! Und so auch bei Herrn
Wolpert, den Sie ja nicht gekannt haben. Und so auch beim
Fräulein Therese—

FRAU HEDRICH

Ja, Therese Wolpert, die hat mich überhaupt, kann ich
Ihnen sagen, gerettet hat die mich, heute morgen auf 20
der Polizei in Buchdorf. . . mit der Aussage, die sie hier
beim Polizisten über mich gemacht hat.

SIXTINA

Sie wollten ja erzählen.

FRAU HEDRICH

Mache ich auch. *(Sie schaut wieder auf ihre Armbanduhr.)*
Mir hat der Postautomann, der jeden Montag mit der
Paketpost nach Buchdorf fährt,—der hat mir versprochen,
mich heute mitzunehmen. Bei dem soll ich um fünf sein.
5 Das reicht noch lange.—Dann erwische ich nämlich noch
den Abendzug nach München und kann womöglich noch
irgendwie nachts nach Koburg weiterfahren. Ich muß
freilich dem Autofritzen dafür von meinen Zigaretten
abgeben, die ich eigentlich gern alle meinem Mann hätte
10 mitnehmen wollen. *(Sie seufzt etwas.)* So ist's schon mal.
Umsonst hat man nichts auf dieser Welt.—Sie wissen doch,
daß ich gestern mit Kienlechner tanzen gewesen bin?

SIXTINA *(nickt)*
Weiß ich wohl.

FRAU HEDRICH

Hätte ich geahnt, daß eine solche Nachricht von meinem
15 Mann an mich unterwegs ist! Dann wäre ich wahrhaftiger
Gott nicht mit einem Andern auf eine Lustbarkeit gegangen,
während er vielleicht krank und elend im Güterwagen liegt
und zu mir heimdenkt.[4] Er hat nämlich so was nie gern
gehabt, mein Otto—eifersüchtig war er für zehn, wenn
20 ich nur einmal ein Auge riskiert habe, mit einem Andern.—
Und Ihnen kann ich es ja sagen, Fräulein Unfalt: ein bißchen den Kopf verdreht hatte mir der Kienspan schon,
hm?

SIXTINA *(nickt, nicht ohne Humor)*
Weiß ich wohl, Frau Hedrich.

FRAU HEDRICH

25 Ich ihm leider weniger. Oder Gott sei Dank, muß man ja
wohl sagen.—Immerhin, schön war die Tanzerei doch.

---

[4] *und zu mir heimdenkt:* and thinks of getting home to me.

*(In der Erinnerung den Oberkörper wiegend; dann halb lächelnd,
halb sich schämend, zu* SIXTINA*)* Und Sünde wird's ja
weiter keine gewesen sein, was?

SIXTINA

Man muß immer froh sein, Frau Hedrich, wenn's gut
hinausgegangen ist.

FRAU HEDRICH

Aber wie wir nun heimkommen, spät in der Nacht. . . und 5
ich drüben in meinem Zimmer die Vorladung zur Polizei
nach Buchdorf finde!

SIXTINA

Ja, das hat Herr Kienlechner heute morgen erzählt.

FRAU HEDRICH

Er hatte mich ja vorbereitet, hatte mir die ganze Sache
schon berichtet—erst nach der Tanzerei, dafür war ich ihm 10
dankbar, ich hätte mich sonst an dem ganzen Abend nicht
freuen können! Nee, wissen Sie: ich bin so was nicht gewöhnt. Mit dem Gericht hab' ich nie zu tun gehabt. Na,
ich fuhr denn also, wie gewöhnlich, mit dem ersten Autobus heute in die Stadt, und gleich auf's Polizeigebäude. 15

SIXTINA

Aber ich verstehe nur nicht, wie das so glücklich hat zusammentreffen können: daß Sie in Buchdorf zu gleicher
Zeit die Nachricht von Ihrem Mann gefunden haben—?

FRAU HEDRICH

Der Brief von meinem Mann war das ja eben! Den hatten
ja die Unmenschen zurückgehalten und mich, wegen des 20
Briefes grade, verdächtigt!—In dem Briefe stand, daß er
zurückkäme. Und daß er es jetzt verstehen gelernt hätte,
was das wert wäre, wenn Gefangene anständig behandelt

würden. Was er damit sagen wollte, das konnte ich mir ja
leicht zusammenreimen. Und wie gut es doch wäre, schrieb
er, daß ich damals die Wertsachen von dem amerikanischen
Gefangenen in Sicherheit gebracht hätte. Aus dem „die
5 Wertsachen in Sicherheit bringen"—daraus eben hatte mir
die Polizei einen Strick drehen wollen. Wissen Sie, ich habe
ja einen Brief von dem Amerikaner, dem ich damals geholfen hatte. Aber der Brief war ja noch während dem
Kriege geschrieben, nachdem er ausgetauscht worden war,
10 über einen anderen Gefangenen war das gegangen, und
er hatte doch auch nur so in Andeutungen schreiben
können. Nee, nee, ohne Therese Wolperts Aussage zu
meinen Gunsten hätten die mich auf jeden Fall erstmal
ins Kittchen getan. . . und Gott weiß wie lange das hätte
15 dauern können, bis ich da wieder 'rausgekommen wäre!

(THERESE bemerkend, die von rechts her eingetreten ist.)

Ach, da kommt sie! Das ist gut, daß ich Ihnen eben noch
auf Wiedersehen und Dankeschön sagen kann.

THERESE

Wieso? Wollen Sie fortfahren?

FRAU HEDRICH

Ich fahre zu meinem Mann!—Ja! mein Mann kommt zu-
20 rück! Ich—lassen Sie sich von Sixtina Unfalt erzählen, der
hab' ich eben alles gesagt, wie's zusammenhängt. Und die
Gerichtssache ist in Ordnung, hauptsächlich wegen der
guten schönen Aussage, die Sie hier über mich gemacht
haben, wofür ich mich noch schönstens bedanke.

THERESE

25 Da ist gar nichts zu danken. Hauptsächlich hat übrigens
meine Mutter mit dem Polizisten über Sie gesprochen.—
Aber wie gut, daß Ihr Mann. . .! ja, und. . . aber wenn Sie

jetzt wegfahren: Sie müssen doch auf alle Fälle noch etwas Heißes bekommen. Sie sind doch wahrscheinlich gerade erst von der Stadt hereingekommen.

FRAU HEDRICH

Ich habe in der Stadt zu Mittag gegessen.

THERESE

Immerhin.—Sixtina, wie kannst du sie so gehen lassen? 5 Mache ihr doch bitte geschwind einen Tee oder eine Milch heiß!

SIXTINA

Unser Fräulein hat ganz recht.—Entschuldigen Sie nur, Frau Hedrich. Ich bin alt. Bei mir fängt's an im Kopfe zu fehlen.   10

(Ab in die Küche. THERESE *setzt sich zu* FRAU HEDRICH.*)*

THERESE

Das macht die Sixtin ganz geschwind. Sie brauchen nicht nervös werden.

FRAU HEDRICH

Ich wollte noch sagen: wenn ich den Mann aus dem Lager gleich freikriege, dann werde ich wohl erstmal mit ihm hierherkommen müssen, bis wir was gefunden haben. Das 15 wird Ihrer Frau Mutter doch recht sein? Weiteren Wohnraum werden wir ja nicht beanspruchen. . .

THERESE

Ja, ja, Frau Hedrich. Grüßen Sie Ihren Mann von uns.

FRAU HEDRICH

Dankeschön.—Aber wissen Sie auch, daß Sie mir gar nicht gefallen? Was ist denn mit Ihnen? Sie sehen ja todestraurig 20 aus!

THERESE *(lächelt etwas mühsam)*

Ach woher, Frau Hedrich! Ich bin nur ein bißchen durch
die Luft gegangen und vielleicht kalt geworden, weil ich
einen zu leichten Mantel anhatte. Sobald nämlich die Sonne
weg ist, wird's im Nu kalt. Sie müssen sich auch für Ihre
5 Reise tüchtig warm anziehen. Soll ich Ihnen vielleicht
was leihen?—

FRAU HEDRICH

Ach nein, danke, es geht schon.

THERESE

Den schwarzen Pelzmantel von meinem Vater vielleicht,
den Sie jetzt schon ein paarmal angehabt haben? Wenn
10 ihn nicht die Mama nach Arnsdorf mitgenommen hat.
(Sie läuft in den Gang hinaus) Da hängt er! *(Sie kommt mit
dem Pelz zurück)* Wenn Sie nachts fahren müssen und
haben nicht was richtig Warmes—das geht gar nicht.

FRAU HEDRICH

Aber glauben Sie denn, daß Ihre Mutter einverstanden
15 sein wird?

THERESE

Unbedingt. Hier zu Haus kann man sich eher helfen.
Sie müssen nur gut darauf achtgeben und ihn sich nicht
stehlen lassen. *(Sie hilft ihr hinein)* Ich freue mich, Sie
wieder darin zu sehen. Es erinnert mich an den ersten,
20 schönen glücklichen Abend, wo——wo alles sehr schön
war.

FRAU HEDRICH

Hören Sie mal, kleine Therese: Sie sind ein gutherziges
Menschenkind. Aber Sie bringen mich mit dem Pelzmantel nicht davon ab, daß mit Ihnen was los ist.

THERESE

Was nicht angebunden ist, ist los[5]—haben wir als Schul-
kinder gesagt.

FRAU HEDRICH

Ich weiß, was mit Ihnen los ist und will's Ihnen auch
sagen: verliebt haben Sie sich.

THERESE

Keine Rede.   5

FRAU HEDRICH

Keine Rede, aber Tatsache.—Und zwar: unglücklich
verliebt haben Sie sich!

THERESE *(nickt unwillkürlich)*

FRAU HEDRICH

In den Herrn Kienlechner.

THERESE

Ach nein. Nur so. Ganz im allgemeinen.

FRAU HEDRICH

Und er interessiert sich für die Frau Mutter, hm?   10

THERESE *(schmerzlich)*

Glauben Sie's auch?

FRAU HEDRICH *(denkt nach)*

Mir ist es wenigstens so vorgekommen.

THERESE

Mir auch.

FRAU HEDRICH

Also unglücklich verliebt.—Und jetzt will ich Ihnen ein
Geheimnis verraten: unglücklich Verliebtsein ist das 15
Schönste, was einem in Ihrem Alter passieren kann.

[5] *Was nicht angebunden ist, ist los:* What is not tied up is loose. (Therese
plays on the two meanings of *los:* wrong and loose.)

THERESE *(wieder mit ihrem schmerzlichen Lächeln)*

Das leuchtet mir im Moment nicht ganz ein. *(Da Sixtina aus der Küche kommt)* Bitte jetzt nicht reden. Bitte.

SIXTINA *(mit einem kleinen Tablett)*

So, nu trinken Sie mal geschwind noch die heiße Milch und essen ein Stückchen Brot dazu, ja? vor der Reise.

FRAU HEDRICH *(trinkt)*

5   Na, die ist aber gut heiß.⁶—Ich danke auch vielmals. Essen werd' ich jetzt nicht mehr, ich glaube, ich muß mich auf die Beine machen⁷, warten tut der Postmann nicht.

SIXTINA

Dann nehmen Sie's mit. *(Wickelt die Brötchen ein und*
10   *schiebt sie ihr zu.)* Unterwegs, werden Sie sehen, kommt immer mal ein hungriger Moment.

FRAU HEDRICH

Warten Sie, da muß ich Ihnen ja Marken—

SIXTINA

Die wird unser Fräulein Therese nicht haben wollen, denke ich mir. Behüt' Sie Gott. Und treffen Sie den Mann
15   gut an!
(Schüttelt ihr die Hand.)

FRAU HEDRICH

Ja, danke, Fräulein Unfalt. *(Sich von* THERESE *verabschiedend)* Recht vielen Dank für alles. Und schönen Gruß an Ihre Frau Mutter und an Herrn Kienlechner. Und Kopf hoch, Fräulein Therese! Sie sehen doch, wie mir's gegan-
20   gen ist. Auf einmal schneit eben doch das Glück aus einer

---

⁶ *Na, die ist aber gut heiß:* My, but it is good and hot (really hot).
⁷ *ich glaube, ich muß mich auf die Beine machen:* I believe I must be going.

dicken Wolke. Also, adjüs! noch mal schönen Dank für
den geliehenen Mantel.

THERESE

Leben Sie wohl.

(FRAU HEDRICH *ab*)

Daß sie jetzt, in dem schwarzen Pelz, in das Schneedunkel
hinausgeht, so wie sie an dem ersten Abend daraus ge- 5
kommen ist—mit dem Kienspan! Daß alles wieder wie
damals ist, und alles ganz anders. Komisch. Mir kommt's
vor wie ein Abschluß.

SIXTINA

Wie bitte, Fräulein Therese?

THERESE

—Soll ich dir helfen mit den Karotten, Sixtina?   10

SIXTINA

I woher, die räum' ich jetzt weg.[8] *(Sie fängt an, die Karotten*
in die große Schüssel zu streichen.) Sprechen Sie sich doch
aus, Fräulein. Oder glauben Sie, ich bin zu alt und zu dumm,
um zu merken, daß Sie ein schweres Herz haben?

THERESE

Hast du eigentlich damals, vor siebzehn Jahren, als ich 15
im Steckkissen gelegen habe und du mir die Windeln
gewaschen hast—hast du damals auch „Fräulein" und „Sie"
zu mir gesagt?

SIXTINA

I, dazumal wohl nicht! Dazumal hab' ich das Fräulein
ohne Umstände in den Arm genommen, und auch ganz 20
ohne Umstände damit geredet,—können Sie mir glauben.

---

[8] *I woher, die räum' ich jetzt weg:* Oh, never mind, I'll take care of them.

THERESE

Dann mach's doch auch heute so. Ich tu's ja auch. Ich wüßte nicht, was sich seit damals zwischen uns verändert hätte.

SIXTINA

Ja, danke. Das will ich also gern, wenn ich so frei sein
5 darf.—Ein Kind zum Fressen sind Sie gewesen. . .[9]

THERESE

. . . bist du gewesen.

SIXTINA

Ja, ein lustiges, hübsches Kind bist du gewesen, Fräulein Therese!

THERESE

Hübsch bin ich jetzt wohl gar nicht mehr?—Und gar
10 so lustig auch nicht. Sixtina, ich wünschte, mein Vater wäre hier. *(Sie stampft auf, mit Tränen in der Stimme)* Ich wünsche es mir! Warum kann, warum kann es denn nicht sein!

SIXTINA *(ernst und erschrocken)*

Nicht aufbegehren gegen den Herrgott, Kindchen!

THERESE

15 Laß. Da kommt meine Mutter. Ich kann jetzt nicht. . . Laß, bitte.

(Schnell ab, in die Küche. Nanna von rechts.)

NANNA

So! da sind wir wieder. *(Noch unter der Tür in den Gang rufend)* Kienspan!— —Er ist offenbar auf's Zimmer hinaufgegangen. *(Sie schließt die Tür)* Also, was gibt's Neues,
20 Sixtina?

[9] *Ein Kind zum Fressen sind Sie gewesen:* You were a child good enough to eat.

SIXTINA

Der Herr Wachinger war hier—

NANNA

Den hab ich grade auf dem Hof gesprochen.—Wo ist
denn das Thereserle?

SIXTINA

—Wird schon gleich wiederkommen. Hat die gnädige
Frau schon gehört, von der Frau Hedrich?   5

NANNA

Ja, mir hat der Wachinger grad' erzählt. Der hat sie gehen
sehen, mit dem Handköfferchen, und hat sie natürlich aus-
gefragt—weil er neugierig ist, der alte Kerl, mehr als
zehn alte Weiber. *(Sie spricht das alles in gutmütig heiterem
Ton, wie aus einer überströmenden Lebensfreudigkeit heraus)*   10
—Das ist ja alles sehr erfreulich. Sixtin, ich habe heute
so einen Abend, weißt du, so einen, wo man glauben
möchte, daß es gar nicht schwer ist, die ganze Welt und
alle einzelnen Menschen glücklich zu machen. Wenn ich
der Liebe Gott wäre, täte ich heute ausnahmsweise einmal 15
überall, und ganz besonders in dem armen Deutschland,
zwölf Stunden lang Milch und Honig fließen lassen, und
guten, starken Burgunderwein in den Brunnen. Und wenn
sich die Deutschen alle sternhagelvoll besaufen und befressen täten, würde ich sagen: es macht nichts! es muß   20
auch einmal wieder sein! Wenn's jetzt nicht schon fast
finster wäre, gell, täte ich sehen, daß du schon wieder ein
ganz ernstes Gesicht machst, Sixtin, weil du dir denkst,
daß man in einer so schweren Zeit nicht so leichtfertig
reden darf. Komm, hilf mir aus meinen Stiefeln, magst du? 25
(Im Stuhl sitzend, läßt sie sich von SIXTINA *die hohen Stiefel
ausziehen.)*
Wenn du ganz lieb sein willst: holst du mir auch noch
meine Schuhe herüber? Drüben in meinem Zimmer—

(SIXTINA geht. NANNA summt im Halbdunkel vor sich hin.)

SIXTINA *(mit den Schuhen zurückkommend)*
Darf ich Licht machen, gnädige Frau?
(Sie schaltet das Licht ein, die Lampe über dem Tisch leuchtet auf.)

NANNA

Richtig, wir haben ja heute unsern vollen Stromtag. Keine Lichteinschränkung. Als wäre Friedenszeit!
(Sie nimmt die Schuhe aus SIXTINAS Händen, sieht sie an.)

SIXTINA

5   Ist es denn gut gewesen, wenn ich fragen darf, gnädige Frau, in Arnsdorf?

NANNA

Sehr gut. Der Kienspan hat ihnen allen dort gefallen. Und ich hab's auch eingefädelt, so unauffällig schlau, als wäre ich der Graf Sforza aus Italien!—daß unser Maler nächstens hinübergeht und ein Porträt von der alten Dame
10   anfängt.
Aber das noch viel Bessere ist... Sixtina, was tät'st du sagen... wenn ich wieder heirate? *(Mit einer kleinen Verlegenheit)* Tätest du glauben, daß mein Hermann dagegen wäre droben in seinem Himmel?

SIXTINA

15   Hat der Herr Kienlechner... hat er die gnädige Frau gefragt?

NANNA

Nein, das hat er nicht,—das hat er noch nicht! Schau, gerade das rechne ich ihm hoch an:[10] daß ein Mensch wie der, weit herumgekommen in der Welt, der den Krieg und

---

[10] *Schau, gerade das rechne ich ihm hoch an:* See, it's just that which I value so highly in him.

auch sonst allerhand durchgemacht und ganz gewiß die
Frauen nicht immer nur von weitem angeschaut hat—daß
der mir gegenüber eine solche Scheu und Zartheit hat!
Den ganzen Tag hab' ich's gespürt, daß er mir was sagen
will, und wir sind doch schließlich weit zusammen gegangen   5
hin und zurück. Aber er ist nicht herausgekommen mit
seiner Frage. Ich hab' ihm auch nicht geholfen drauf. . .
weil ich das so schön gefunden habe und weil das schnelle,
vorwitzige Reden gar nicht immer das Beste ist. Es ist so
gut, wenn man voneinander etwas ahnt. . . und es sich   10
noch nicht sagt. Es kann sein, daß er nachher noch etwas
sagen wird. Ich habe so ein Gefühl, daß er's tun wird.
Wenn er dann herunterkommt, später: dann gehst du
unauffällig hinaus, und hältst auch das Kleine ein bissel
draußen, gell?   15
Daß man mit dir so gut reden kann, liebe, alte Sixtin! Wie
mit einer Mutter. . . nein, mit meiner Mutter hätte ich
kaum so reden können: die hätte hundert konventionelle
Bedenken gehabt und hätte mir keins davon erspart.—
Aber du sagst gleich überhaupt nichts. . .?   20

SIXTINA

Ich denke nach, gnädige Frau.

NANNA

Früher habe ich nie mit einem Liebesgedanken an den
Kienspan gedacht. Gar nicht. Wir sind einfach gute Kameraden gewesen. Er war der Freund meines Mannes, das
war alles.—Aber jetzt. . . man war halt doch lange Zeit   25
allein. Und ich glaube, es wäre gut, den Christian zum
Mann zu haben. Er könnte seine Bilder malen; daß er
immer etwas zum Essen und eine warme Stube hätte,
dafür würden wir schon sorgen. Aber es setzt einen bei
den Leuten doch anders in Respekt, wenn man einen   30
Mann im Haus hat. Wir würden recht vergnügt zusammen-

leben, und für die Kleine wäre es auch gut, wenn sie wieder einen Vater bekäme. Mir scheint, er versteht es auch gut mit ihr, und das Mädel braucht eine männliche Hand. Und wie schön ist das, daß er der ist, der ihrem eigenen Vater
5 so nahestand!—Was sagst du, Sixtina? Das scheint dir doch auch alles vernünftig, gell? Und du findest nicht, daß ich eine Untreue am Hermann begehe, wenn ich es tue? Oder daß die drei, vier Jahre, die ich älter bin als der Kienspan, etwas ausmachen?—
10 So red' halt endlich.[11]

SIXTINA

Ich glaube nicht, daß die paar Jahre was ausmachen...

NANNA

Aber? Was hast du für ein Aber?

SIXTINA

Nein, ich wollte nur sagen, gnädige Frau,... daß man vielleicht mit dem Fräulein Therese ein bißchen vorsichtig
15 sein muß, wenn ihr das mitgeteilt wird. Wenn ich das sagen darf: Ich hab' mich heute früh beim Frühstück, bevor Herr Kienlechner herunterkam, und auch sonst in den letzten Tagen gewundert, daß die gnädige Frau so sehr freimütig vor dem Fräulein den Herrn Kienlechner
20 gelobt und gepriesen hat. Gleichsam als hätte der Herr Kienlechner dem Fräulein in den Kopf gesetzt werden müssen.[12] Bedenken Sie doch, gnädige Frau, daß es viel ausmacht, was eine Mutter einem Kind über einen Mann sagt. Jetzt fürchte ich—

NANNA *(ist rot geworden)*
25 Aber habe ich ihn denn gelobt und gepriesen?

[11] *So red' halt endlich:* Well, so say something.
[12] *Gleichsam als hätte der Herr Kienlechner dem Fräulein in den Kopf gesetzt werden müssen:* As if one had wanted to put Mr. Kienlechner into the girl's head.

SIXTINA

Jawohl, gnädige Frau.

NANNA

Das weiß ich ja gar nicht.

SIXTINA

Freilich nicht, das ist unbewußt geschehen. Wessen das
Herz voll ist, des geht der Mund über.[13]

NANNA

Ach, du Weisheitsorakel!—Und was ist es, daß du fürch- 5
test?

SIXTINA

Ich fürchte, daß das Fräulein nun selber ein bißchen in
den Herrn Kienlechner verliebt ist.

NANNA

Laß dich nicht auslachen! Das Kind! Sich einen Mann in
den Kopf setzen! Kannst du dich denn nicht erinnern, daß 10
wir sie diesen Herbst auf dem Speicher über ihren alten
Puppen gefunden haben? Ich habe sie damals sogar noch
ausgeschimpft dafür, weil ich es zu kindisch fand.

(KIENLECHNER kommt)

NANNA

Ach,—du bist's, Kienspan.—Warst du bis jetzt in deinem
Zimmer?   15

KIENLECHNER

Ja, Nanna.

NANNA

War's denn noch ein bissel warm droben?

[13] *Wessen das Herz voll ist, des geht der Mund über:* For out of abundance
of the heart the mouth speaketh. (Matthew XII, 34).

KIENLECHNER

Danke.

(SIXTINA hat ihre Karottenschüssel aufgenommen und verschwindet in der Küche.)

NANNA

Setz' dich doch ein bissel her zu mir. Wir haben heute einen hübschen Tag gehabt, gell? Die Landschaft kann so schön sein in ihrem Schnee.—Komm, da setz' dich her, da ist's
5   warm beim Ofen.

KIENLECHNER

Laß mich lieber stehen, ich bin etwas unruhig, ich. . . Du hast vermutlich schon bemerkt, daß ich heute den ganzen Tag etwas auf dem Herzen hatte und es nicht herausbringen konnte. Also, ich habe nun doch bei mir
10   selbst beschlossen, daß es gesagt werden muß, so schwer es mir auch fällt.

NANNA *(nachdem sie eine Weile gewartet, ob er weitersprechen würde)*

Warum fällt es denn so schwer?

KIENLECHNER

Ja, es ist schwer! Ich könnte mir sogar denken, daß ein Anderer, der die Sache nur von außen sieht, mich für
15   verrückt halten würde, wenn ich es tue. Aber ich weiß doch, daß ich es tun muß.—Ich muß fort.

NANNA

Fort?

KIENLECHNER

Ja. Heute nicht mehr, und vielleicht auch nicht gleich morgen, aber doch in diesen allernächsten Tagen. Ich
20   habe—Nanna, ich habe mich in ein Unheil verstrickt, aus

dem es keinen anderen Ausweg gibt, als fortzugehen.
Ich bin noch nie im Leben so aus tiefstem Grund glücklich
gewesen wie 'hier, aber das ist nun einmal nicht anders,
im Paradies war's bekanntlich auch so. Wo es ihm zu gut
wird, darf der Mensch nicht bleiben.   5

NANNA

Aber, mein Lieber, so sag' mir doch einmal endlich, was
denn das furchtbare Unheil ist, du komischer Mensch
du, in das du dich verstrickt hast. Vielleicht haben sich
andere Leute auch darein verstrickt, und dann müßte man
es eben gemeinsam, so gut es geht, ertragen—   10

KIENLECHNER

Das ist's eben: daß auch ein anderer Mensch hereingezogen wird.

NANNA *(immer in dem Ton eines verhaltenen, glücklichen
Lachens)*

Wer wird mit hereingezogen, Christian?

KIENLECHNER

Nanna—ich lieb' deine Tochter. Es nützt nichts, daß ich
mir klarmache, wie hoffnungslos und widersinnig das ist.   15
Ich habe eine solche Liebe noch nie gekannt. Siehst du,
eine solche Liebe: nicht daß man nur erfreut und erwärmt
und entzückt ist, und den Strom des Lebens stärker rauschen
hört. Sondern ganz einfach so, daß du dir sagen mußt:
das ist der Mensch, der für dich ist. Oder eher noch: 20
das ist der Mensch, mit dem du ein Mensch sein sollst.

*(Er wartet einen kurzen Augenblick. Sie bleibt still. Er spricht
mit einer gewissen Hast weiter.)*

Natürlich hat das gar nichts zu sagen. Es bleibt als Erlebnis immer noch wunderbar genug, obwohl es sich nicht
verwirklichen kann. Therese ist so eine köstliche Mischung

von dir und Hermann! all euer Gutes und Schönes, Temperament und Ernst und Zuversicht und Humor, so
wieder aufgeblüht in dieser eurer Tochter. Und euch
Beiden bin ich es schuldig, daß da kein Schatten darauf
5 fällt. Du mußt übrigens nicht meinen, daß ich nicht gegen mein
Gefühl angekämpft hätte, daß ich nicht versucht hätte,
irgendwie in ein väterliches Verhältnis zu Therese zu
kommen. Denn das war mir ja gleich klar, daß nicht einer
10 wie ich, der verbraucht und alt aus dem Kriege kommt,
ein so junges Wunder von einem Geschöpf an sich binden
darf. Ich bin fast zwanzig Jahre älter als sie! Trotzdem ist
es mir mit der Väterlichkeit nicht gelungen—und ich hatte
den Eindruck, daß auch Therese mir diesen Ton nicht
15 abnehmen wollte. Ich bin vielleicht eingebildet, aber ich
hatte den Eindruck, daß Therese im Begriff war, einer
Täuschung zu verfallen:[14] als ob es möglich wäre, daß
auch sie mich liebte. Sie ist so unbeschreiblich jung, sie
hat kaum Männer gesehen. Es wäre vielleicht natürlich,
20 daß sie eine unbewußt in ihr erwachende Sehnsucht mit
einer wirklichen Liebe verwechselt.—Schon aus diesem
Grunde, Nanna, siehst du ein, daß ich so rasch wie möglich
fort muß. Aber ich muß es auch meiner selbst wegen. Ich
kann, ich werde ohne Therese leben, denn es ist notwendig.
25 Aber nicht hier, nicht im selben Haus mit ihr! Das halte
ich nicht aus, daran würde ich zugrunde gehen!
(Pause)
Dein Schweigen, Nanna, verstehe ich als Zustimmung. Ich
finde es sehr gütig von dir, daß du mir alles Reden über
die Sache ersparen, und meine Lächerlichkeit schonen
30 willst. Wir wollen also jetzt nur noch grade verabreden,
wann ich am besten reise.—

---

[14] *ich hatte den Eindruck, daß Therese im Begriff war, einer Täuschung zu
verfallen:* I had the impression that Therese was about to be the victim
of a deception.

NANNA *(mit einem Atemzug aus tiefer Brust)*

Also so—also doch so—also so war das alles! Ja.

KIENLECHNER

Nanna—*(ihrem Blick begegnend, auf einmal alles verstehend)*
Nanna! Du hattest. . . . du dachtest. . . Nein. Ich. . .
Nanna—!

*(Sie bleiben eine Zeitlang beide stumm, in tödlicher Verlegen-
heit. Dann fängt* NANNA *an zu lachen; erst klingt es ein
bißchen wie Weinen, aber dann immer herzhafter, fröh-
licher, befreiender, so daß der verlegene Kienlechner schließlich mit einstimmen muß, und die Beiden eine ganze Weile
zusammen lachen, daß das Zimmer schallt.*

NANNA

Und ich hatte mir die ganze Zeit eingebildet, daß ich 5
gemeint wäre!

KIENLECHNER *(neben ihr sitzend, bewegt, indem er der immer
noch Lachenden beide Hände küßt)*

Ach, Nanna, du ganz gütiger Mensch, du ganz freier
Mensch, du!
Und ich hätte das ja auch irgendwie spüren können. . .
wenn man nicht immer wie mit Ketten an sich selbst ge- 10
fesselt wäre! Wenn ich von meiner Not so frei gewesen
wäre, wie du dich jetzt frei von der deinigen zeigst.—Liebe,
gute Nanna. . .

(Er küßt ihr wieder die Hände.)

NANNA

Wir rufen jetzt die Therese herüber.

KIENLECHNER

Nein!   15

NANNA

Doch, mein Lieber. Deine Bedenken habe ich ganz gut
verstanden, aber sie scheinen mir doch nicht entscheidend.
Wenn die Therese dich will—und du begreifst: ich kann
mir das jetzt grad ganz gut vorstellen, daß jemand dich
5   will—wenn sie aus ihrem Herzen heraus dich will,
dann werden wir uns nicht die Dummheit erlauben, ihr
die Jahre vorzurechnen, die euch trennen... als ob die
Liebe nicht über die Jahre hinwegfliegen könnte, wie ein
freier Vogel über die Berge! Gell?
10 Wir rufen sie,—und ich red' mit ihr. Aber auf die Bedingung, daß du mich nicht störst! Sonst wird's nämlich
nur ein Edelmutsstreit oder irgend so etwas Schwärme-
risches, und wir erfahren nicht, wie es in dem Herzen
der Therese wirklich ausschaut.

KIENLECHNER

15 Nanna!—laß mich vielleicht lieber hinausgehen—

NANNA

Aber nein! Du sollst ja grad' dabei sein und miterleben und
sehen, wie's ihr zumute ist. Vielleicht mag sie dich gar
nicht.—Therese! Bleib' hier. Aber halte dich mäuschenstill,
hörst du. Ich bin die Mutter, und jetzt komm' erst ich
20 dran. Nachher kommst du. Therese!

(THERESE kommt zögernd herein.)

THERESE

Ich weiß, warum ihr mich ruft.—Ihr habt euch verlobt,
ja?

NANNA

Komm einmal her zu mir.

THERESE

Ich war heute den ganzen Tag voll kindischer, zorniger

Gedanken über dich, Mama—und das reut mich jetzt.
Ich habe eingesehen, daß es falsch ist. Das heißt, ehrlich
gestanden, ·nicht ich. . . Sixtina hat die ganze Zeit auf
mich eingeredet, und schließlich hab' ich ihr zugeben
müssen, daß sie recht hat. Wir können nichts dafür, wenn   5
es uns halt beide erwischt hat, daß wir *(sie sagt es mit*
einem langsamen, finsteren Blick zu ihm hinüber) den Herrn
Kienlechner liebhaben müssen. Ich kann das ruhig vor ihm
sagen. Ihr habt ja sowieso schon gelacht über mich, gerade
jetzt, daß man es bis in die Küche gehört hat.   10

NANNA

Wir haben nicht über dich gelacht.

THERESE

. . . wir können nichts dafür, Mama, weder du noch ich.
Und am Ende hat die Sixtina vielleicht auch damit noch
recht, daß es mit dem Liebhaben nicht so schlimm ist,
und daß es mit der Zeit alles vorbeigeht.   15

NANNA

So? Wird es bei dir vorbeigehen?

THERESE *(zuckt die Achseln)*

Ich bin jung, ich bin erst siebzehn Jahre. Und—verzeih,
Mama—aber du hast ja auch früher meinen Vater liebge-
habt, und jetzt den Herrn Kienlechner.

KIENLECHNER

Therese. . .   20

NANNA

Laß sie ausreden.—Du bist aber streng zu deiner Mutter,
Therese!

THERESE

Warum soll es bei mir nicht auch so gehen können?[15]
Erst den, dann einen andern. Ihr habt es mir ja alle immer
wieder zu hören und zu spüren gegeben, du und der Kienspan und die Sixtina und alle,. . . daß ich ein Kind bin und
vom Leben nichts weiß. Mir ist es freilich ganz anders
vorgekommen. *(Mit einem schmerzlich herben Klang in der
Stimme)* Mir ist es so vorgekommen, daß ich an einem
einzigen Abend, an den sich der Herr Kienlechner vielleicht noch erinnert, erwachsen war und vom Leben alles
gewußt habe, was man wissen kann: den ganzen hohen,
tiefen Abgrund der Liebe, und daß darin ein einziger
Mensch auf immer zu einem gehört. . . so daß es mich
sogar geschaudert hat davor und ich mich nicht in diesen
Abgrund hineinwagen wollte. *(Ihr Blick ruht bei all diesen
Worten mit einem strengen Ausdruck auf Kienlechners Gesicht.)* Aber dann hat es den Kienspan gleich am nächsten
Tag schon gereut und er hat in seinem großväterlichen Ton
mit mir zu reden angefangen, und alle, alle habt ihr euch
bemüht, mir zu beweisen, daß das Erwachsenwerden nur
ein Abgekochtwerden ist,[16] wo alles wiederholbar wird,
mehr als hart kann das Ei nicht sein, *(ihre Stimme wird
rauh von Tränen)* und jetzt werde ich sicher auch ganz
bald ein lebenserfahrener Mensch sein, *(sie faßt sich
wieder)* und dann auch gewiß eine gute Tochter für Sie,
Herr Kienlechner. . .

NANNA

Bist du nun zufrieden, Christian?
Hör' zu, Therese. Du bist im Irrtum. Nicht ich habe mich
verlobt, sondern du. Christian Kienlechner hat mich um

[15] *Warum soll es bei mir nicht auch so gehen können?:* Why shouldn't it be the same with me, too?
[16] *daß das Erwachsenwerden nur ein Abgekochtwerden ist:* that becoming grown up is only a matter of being hardened.

die Hand meiner Tochter gebeten,—und ich habe keinen
Grund gefunden, sie ihm zu verweigern. Ich gebe dir
meinen Segen dazu, mein Kind.

*(Sie zieht ihren Kopf zu sich und küßt sie auf die Stirn, und
ist dann gleich aus der Tür.)*

THERESE *(nach einer atemlosen Stille)*

Jetzt ist es aber doch ganz bestimmt ein Traum—

KIENLECHNER

Ja, gell, das denkt man. Ich hab's auch gemeint, schon am 5
ersten Abend.

THERESE

Kienspan!

(Eine lange, stumme Umarmung)

KIENLECHNER

Therese, kleine Therese.

THERESE

Wußtest du. . . wußtest du das schon früher: daß man seine
eigene Seele nur haben kann, wenn man sie nicht für sich 10
behält?

KIENLECHNER

Erst seit ich zu dir gekommen bin, weiß ich das.

THERESE

Und diese schreckliche Einsamkeit, die du im Krieg erlebt
hast: wird sie noch sein können?

KIENLECHNER

Nein, das ist's eben. Sie kann nicht mehr sein. Weil es 15
dich gibt. Auch wenn du tausend Meilen weg wärst.

THERESE

Ich gehe nicht tausend Meilen weit weg.

KIENLECHNER

Nein, Gott sei Dank. Aber auch wenn. Daß es dich und dieses Zu-dir-gehören gibt, das macht die Angst der Einsamkeit ja unmöglich, für immer. So etwas ist eine Fügung, eine Zusammenfügung, gell, Therese?

THERESE *(leise)*

5   Was Gott fügt. . .

KIENLECHNER

Ja! Und darum laß mich auch jetzt von all den Bedenken nichts mehr sagen, die mich vor meinem Glück warnen wollten. Nur erklären laß dir. . .

THERESE

Nein! Doch nicht hier! Nicht unter der Zimmerdecke!
10   Wir müssen hinaus unter den freien Himmel.—Es ist ja heute ein dunkler Schneewolkenhimmel, und vielleicht wird's noch schneien, wie an dem Abend, wo du gekommen bist, vielleicht hat es jetzt schon angefangen, und es ist höchste Zeit, daß wir dabei sind. Immer habe ich mir ge-
15   wünscht, mit dir durch eine Schneewolke zu gehen!— Kommst du noch mit? Oder, wie? oder bist du zu müde von deinem langen Weg heute? Wie? Nein? Nein?—Dann bitte komm!

KIENLECHNER

Wohin du willst, mein Liebstes, bis ans Ende der Welt!

THERESE

20   Bis dahin können wir vieles besprechen.—Mama! Sixtina! Mama! Sixtina!

*(*SIXTINA, *gleich darauf auch Nanna)*

NANNA

Du schreist ja, als ob Feuer im Haus wär'—

THERESE

Feuer im Haus ist gar kein Ausdruck.—Mama, wir wollen noch hinaus, einen Spaziergang machen. Wir haben in den letzten zwei Wochen nicht genug zusammen geredet, wir müssen es jetzt nachholen. Bitte gib uns einen Auftrag, eine Besorgung. 5

SIXTINA

Es schneit aber kräftig—

THERESE *(triumphierend)*

Hörst du? Es schneit! Schnee bedeutet Glück, was denn sonst? Wir werden Mützen aufsetzen, fortunatische Wunschmützen. . .

NANNA

Wenn ihr wirklich noch gehen wollt, bei dem Wetter, 10 den Auftrag weiß ich euch schon. Geht auf die Gemeinde, der Bürgermeister wohnt ja in dem Haus, und erkundigt euch nach den Papieren, die für Eure Trauung nötig sind. Man kann das nicht früh genug einleiten, weil es immer so lang damit dauert. . . und wir wollen doch so bald wie 15 möglich Hochzeit machen, wie?
Ihr könnt auch zum Pfarrer hineinschauen, wenn ihr wollt, und ihn fragen, wann er euch frühestens von der Kanzel abkünden könnte.

THERESE

Ja, Mama. Er braucht ja drei Sonntage dazu! Du hast 20 ganz recht: da darf keine Zeit verloren werden!

(Die Andern lachen)

NANNA

Sonst könnte uns die Braut zu hoch ins Alter kommen.

THERESE

Ja, Mama.—Mama, bitte verzeih mir, was ich zu dir Dummes gesagt habe vorher. *(Ihr um den Hals fallend)* Mama! Liebste Mama!

NANNA

Schon recht, Thereserle.—Adieu, Ihr Brautleute! Und
5   kommt nicht gar zu spät wieder.

*(*THERÉSE *und* KIENLECHNER *gehen)*

SIXTINA

Das ist jetzt geschwind gegangen, gnädige Frau, mit den Zweien.

NANNA

Was glaubst du, wie lange sie aus sein werden? Eine halbe Stunde ins Dorf, und zurück, und sich dort aufgehalten. . .
10   anderthalb Stunde ist das Wenigste.

SIXTINA

Ganz recht, gnädige Frau.

NANNA

Da eilt's noch nicht, mit deinem Nachtessen.—Wir werden aber heute die zweite von unseren drei Weinflaschen aus-trinken, gell? *(Am Fenster)* Verrücktes Mädel! bei dem
15   Schneegestöber noch hinaus! Mich hätte heute kein Pferd mehr dazu gebracht.[17] *(Lachend)* Da hätte es der Kienspan mit mir bequemer gehabt, heute abend, wenn er sich mit mir verlobt hätte!

SIXTINA *(tritt zu ihr hin, berührt leise ihren Arm)*

NANNA

Nein, Sixtina.—ich bin von Herzen froh, daß es so gegangen

[17] *Mich hätte kein Pferd mehr dazu gebracht:* Wild horses couldn't have dragged me out today.

ist. Die Therese hat eine wirkliche Liebe zu ihm, und wo
die rechte Liebe hinfällt, da machen die Jahre nichts aus.
Ich glaube, daß der Hermann auch damit einverstanden
wäre. *(Sie steht vor dem Bild ihres Mannes)* Der ist es halt
doch, wo ich hingehöre. . . und es ist wohl eine Selbst-   5
befangenheit von mir gewesen, gell, Sixtina? daß ich mir
habe einreden wollen, es müßte noch einmal geheiratet
sein. Daß er eben Hermanns Freund war, der Kienspan,—
das hat etwas ausgemacht.—Und in meiner Selbstbefangenheit hab' ich's ganz übersehen, daß aus dem Kind   10
schon ein Mädchen und eine Braut geworden war. Wie
man immer wach sein müßte! und einen Steinwurf weit
von sich selber weggehen und ein Gebet versuchen :
damit man Gottes Einrede hört!—
Ganz anders, anders müßte man sein.   15

SIXTINA

Die gnädige Frau ist schon recht, wie sie ist.

NANNA

Weiß du, ich glaub', ich rufe den Pfarrer noch an. Daß
er drauf gefaßt ist, wenn die ihm heute noch so spät ins
Haus fallen.[18] Denn daß die Therese hingeht, heute abend
noch, das möchte ich wetten, die ist grad so ein unge-   20
duldiger Mensch wie ich.
*(Sie geht auf den Vorplatz hinaus, kommt gleich darauf mit
dem Telefonapparat wieder.)* Ich nehme den Kasten da
herein. *(Mit einem kleinen Schauder)* Da draußen im Gang
ist es kalt und trübselig, das ist nichts für mich, heute
abend.   25
*(Sixtina steckt die Telefonschnur in den Kontakt. Nanna sitzt
am Tisch, läutet an, spricht ins Telefon.)*

---

[18] *wenn die ihm heute noch so spät ins Haus fallen:* when they still burst into
his house so late today.

Pfarrhaus.—Geh, die Nummer wissen Sie doch selber.[19]
Zwölf, glaube ich.—Grüß Gott, Hochwürden. Hier spricht
Frau Wolpert. Wol-pert.—Entschuldigen Sie, daß ich so
spät noch bei Ihnen anläute. . . und ich muß Ihnen sogar
5 noch einen Besuch ankündigen.—Meine Tochter kommt zu
Ihnen und will Ihnen ihren Verlobten vorstellen. Ja,
grade hat sie sich verlobt. Ja, danke schön, da dürfen Sie mir
schon gratulieren, Hochwürden, Sie werden auch finden,
daß er ein netter Kerl ist.—Ja, mir gefällt er auch sehr gut.
10 —Wie bitte? Ja, ja, katholisch. Alles in Ordnung. Gott
sei Dank!—
Und meine Tochter will sich bei Ihnen erkundigen, was
man alles tun muß, damit sie möglichst schnell heiraten
kann.—Ja, es pressiert uns furchtbar mit der Hochzeit,
15 wir können es kaum erwarten!—Und wie geht's denn Ihnen,
Hochwürden?—Ja uns auch! bei uns, können Sie sich
denken, ist Feststimmung! Sie werden sehen, wie meine
Tochter strahlt!—Vielen Dank! Gute Nacht, Hochwürden.
(Sie legt den Hörer auf. Pause.)

SIXTINA

Die gnädige Frau darf aber jetzt nicht traurig sein. Er-
20 innern Sie sich, gnädige Frau, wie der Herr Pfarrer erst
gestern in der Predigt gesagt hat: Traurigsein—das ist
vom Bösen.

NANNA *(etwas ungeduldig)*

Ich bin ja nicht traurig! Bin ich ja gar nicht! Siehst du denn
nicht, daß ich ganz vergnügt bin?
(Wieder Pause)
25 Ich sage nur, ich hätte ganz gern das Leben selber noch
einmal gepackt, siehst du. Wie es auch sein mag— man
kriegt doch eigentlich nie genug davon.

---

[19] *Geh, die Nummer wissen Sie doch selber:* Go on, you know the number
yourself.

Fragen

FRAGEN

ERSTER AKT

Pp. 1-5

1. Was bedeutet der Titel des Dramas *Ländliche Winterkomödie?*
2. Wo spielen sich alle Vorgänge des Stückes ab?
3. Was steht in der rechten Ecke des Zimmers?
4. Was sieht man in der linken Ecke?
5. Wen stellt das Ölbildnis zwischen den Fenstern dar?
6. Wie ist die ganze Einrichtung?
7. Was tun die drei Frauen, Nanna Wolpert, Therese und die alte Magd Sixtina?
8. Was ist eine Gutsherrin?
9. Wo liegt das Gut der Frau Wolpert?
10. Wie sieht Nanna aus?
11. Wie alt ist sie?
12. Trägt sie ein weißes Kleid?
13. Wie alt ist ihre Tochter?
14. Ist sie schlank?
15. Hat sie ein rosiges Gesicht?
16. Hat Sixtina blonde Haare?
17. Was tut Therese plötzlich?

18. Was findet Therese irgendwie komisch?
19. Was kann Frau Hedrich?
20. Hört Sixtina gut?

Pp. 5-10

1. Warum hat Therese keinen Erfolg mit dem Lichtschalter?
2. Was haben die Heiligen Drei Könige gebracht?
3. Was für ein Lied singt Therese vor sich hin?
4. Wo liegt das Erzgebirge?
5. Von wem hat Therese das Lied gelernt?
6. Warum ist Nanna so froh?
7. Was ist Nanna immer gewesen?
8. Leben Sixtinas Geschwister noch?
9. Wofür ist Sixtina dem Herrgott dankbar?
10. Woher, meint Sixtina, muß der Friede sich wieder über die Welt ausbreiten?
11. Kann Therese sich noch von früher her an Sixtina erinnern?
12. Wie alt war die kleine Therese, als Sixtina damals das Gut verließ?
13. Warum hat Sixtina fortgehen müssen?
14. Hat Frau Wolpert bald Ersatz gefunden?
15. Wer macht ein Ende mit der Stromsperre?
16. Wie lange ist Sixtina fortgeblieben?
17. Wie hat Thereses Vater ausgesehen?
18. Was hat man an seinem Gesicht merken können?
19. Hat der Vater so ausgesehen wie auf dem Bild?
20. Wo hing das Bild?

Pp. 10-15

1. Wer hat das Porträt gemalt?
2. Warum fühlt sich Sixtina etwas beleidigt?
3. Wann war Christian Kienlechner auf dem Gut?
4. Warum hat der Kienspan Frau Wolpert nicht malen wollen?
5. Glauben Sie, daß Frauen schwerer zu malen sind als Männer?
6. Was läßt sich Nanna gern gefallen?

7. Was für ein Mensch ist der Kienspan?
8. Was haben Herr und Frau Wolpert eines Abends mit dem Maler getrunken?
9. Wenn man Brüderschaft mit jemandem getrunken hat, was sagt man dann zu ihm?
10. Warum hat der Maler damals die Sterne in den Bäumen hängen sehen?
11. Ist Nanna jünger als Christian Kienlechner?
12. Wie alt ist der Maler jetzt?
13. Möchte Therese gerne, daß der Maler sie mit Fräulein Wolpert anspricht?
14. Warum glaubt Nanna, daß das Unsinn ist?
15. Warum nannten Frau Wolpert und ihr Mann den Maler „Kienspan"?
16. Wer ist sehr gespannt auf den Künstler?
17. Wie oft hat Nanna den Kienspan in der ganzen Zwischenzeit gesehen?
18. Warum sieht Sixtina so nachdenklich aus?
19. Warum will Frau Hedrich in die Stadt ziehen?
20. Was glaubt Nanna, sei kein Vergnügen?

Pp. 16-21

1. Wer kann nicht mehr lange ausbleiben?
2. Was sagt Therese halblaut zu sich selber, als sie sich in dem dunklen Fenster spiegelt?
3. Warum soll Therese Herrn Kienlechner mit Respekt begegnen?
4. Hat Thereses Vater den Kienspan sehr gern gehabt?
5. Waren Herr Wolpert und sein Freund Kienlechner einander ähnlich?
6. Wer war oft voll trauriger Ahnungen?
7. Wer hat dem Kienspan immer aus der Ferne geholfen?
8. Warum hat Herr Wolpert dem Kienspan geholfen?
9. Wo ist Herr Kienlechner eine Zeitlang gewesen?
10. Warum ist Kienspan in Italien gewesen?
11. Warum redet Therese „so dumm daher"?
12. Ist Herr Wolpert in seinem Leben viel herumgereist?

13. Wo ist Herr Wolpert im Kriege gefallen?
14. Was hat Therese bisher von der ganzen großen Welt gesehen?
15. Was war so gräßlich für Therese?
16. Was für einen weisen und frommen Rat gibt Nanna ihrer jungen Tochter?
17. Ist Kienspan lange im Gefangenenlager gewesen?
18. Hat der Maler in München gut gelebt?
19. Wenn Kienspan sofort nach dem Kriege an Nanna geschrieben hätte, was hätte sie dann getan?
20. Wissen Sie, weshalb Therese so sehnsüchtig geseufzt hat?

Pp. 22-25

1. Was sieht Therese, als sie ans Fenster läuft?
2. Warum eilt Nanna in die Küche?
3. Warum hat Therese Herzklopfen?
4. Ist außer Wachinger und Kienspan noch jemand mit dem Schlitten angekommen?
5. Was trägt Sixtina überm Arm?
6. Was hält Sixtina in ihren Händen?
7. Was für ein Gesicht hat Herr Kienlechner?
8. Wie sind seine Schläfen?
9. Wer ist etwas befangen?
10. Was sollen Therese und Kienlechner tun?
11. Was für einen Pelzmantel trägt Frau Hedrich?
12. Wie alt ist Frau Hedrich?
13. Wie heißt Herr Kienlechner mit Vornamen?
14. Was hatte Kienlechner der Frau Hedrich auf der ganzen Fahrt nicht verraten?
15. Für wen war der Pelzmantel bestimmt?
16. Was wollte Herr Kienlechner durchaus nicht zulassen?
17. Warum hat Kienlechner wohl nicht gefroren, obwohl er nur einen dünnen Mantel anhatte?
18. Was hatte Frau Hedrich versäumt?
19. Was wollte Herr Wachinger von ihr wissen?
20. Wofür ist Frau Hedrich dem Gutsbaumeister Wachinger dankbar?

Pp. 25-29

1. Was trägt Herr Wachinger in seinen Händen?
2. Was drückt Herr Kienlechner dem Wachinger in die Hand?
3. Warum sind die Pferde wie die Teufel gelaufen?
4. Wann hat der alte Schlauberger, der Wachinger, wieder geheiratet?
5. Hat er eine alte Frau geheiratet?
6. Was soll Nanna Frau Hedrich erlauben?
7. Was darf Frau Hedrich tun?
8. Was hat Sixtina in der Hand, als sie aus der Küche kommt?
9. Was hatte Sixtina sich gedacht?
10. Warum hat Herr Kienlechner noch gar nicht zu Worte kommen können?
11. Was konnte man mit keiner Messerspitze tun?
12. Was hat Kienspan über seinen Malereien und Streifereien oft versäumt?
13. Wen hat der Maler sogleich bei der Ankunft begrüßt?
14. Wer war nach der Hochzeit der Wolperts der erste Gast im Hause?
15. Wer war damals noch nicht da?
16. Wovon reißt sich Kienspan los?
17. Wen möchte Kienspan aus dem Rahmen herunterholen und lebendig ins Zimmer stellen?
18. Was hat Kienspan nach dem Tode des Herrn Wolpert an Nanna geschrieben?
19. Was hat Kienspan in dem umschnürten Bündel?
20. Was möchte Sixtina jetzt gerne tun?

Pp. 29-33

1. Was will Nanna mit dem Koffer des Malers tun?
2. Hat sich der Maler sehr verändert?
3. Warum muß Sixtina noch einen Platz am Tisch einschieben?
4. Wieviele Flaschen Wein müssen „daranglauben" zur Feier des Tages?
5. Liegen im Keller noch viele Flaschen Weißwein?
6. Was könnte Therese auch tun?
7. Was täte Therese, wenn sie könnte, wie sie wollte?
8. Warum ist es dem Herrn Kienlechner noch ganz komisch zumute?

9. Wer redet in dem Schlitten auf Kienspan ein?
10. Was geschieht, als die Pferde zu laufen anfangen?
11. Was hat Herr Kienlechner gar nicht gewußt?
12. Was für Augen hat Therese?
13. Warum möchte Therese ganz für sich in einer engen Kammer verschlossen sein?
14. Was trägt Frau Hedrich um die Schultern, als sie ins Zimmer tritt?
15. Was hat sie in dem Körbchen und in der kleinen Schüssel?
16. Stört Frau Hedrich die beiden jungen Leute?
17. Übrigens, wohin hat Frau Hedrich den Pelzmantel gehängt?
18. Wenn man den ganzen Tag im Büro gesessen hat, was tut man dann abends gerne?
19. Was tun die Schlangen im Frühjahr?
20. Fühlt sich Kienspan wohl in seiner Haut?

Pp. 34-36

1. Warum sagt Kienspan, er sei ärger als ein Hamsterer?
2. Was geschähe, wenn es auf Kienspan ankäme?
3. Wem kann Kienspan nichts vormachen?
4. Was macht das Leben süß?
5. Warum zeigt Nanna, als sie aus dem Zimmer kommt, eine kleine Spur von Verlegenheit in ihrer Haltung?
6. Was trägt Nanna über ihrem schwarzen Gewand?
7. Wo bleibt Nanna einen Augenblick stehen?
8. Was reicht Nanna Kienlechner hin?
9. Wer soll sich neben Frau Wolpert setzen?
10. Was soll Kienspan aufmachen?
11. Haben sich alle heute feingemacht?
12. Warum hat sich Therese nicht feingemacht?
13. Hat Herr Kienlechner einen anderen Anzug angezogen?
14. Was möchten alle Herrn Kienlechner gerne zeigen?
15. Was trägt Sixtina um den Hals?
16. Warum hat sich Sixtina das silberne Kreuz umgetan?
17. Warum lacht Frau Hedrich?
18. Wer schenkt die Gläser voll?
19. Was würde Herr Wolpert sagen, wenn er am Tisch säße?
20. Was tut Therese, als alle Herrn Kienlechner zutrinken?

ZWEITER AKT

Pp. 37-41

1. Was für ein Wintervormittag ist es?
2. Wo sitzt Frau Hedrich zu Beginn des zweiten Aktes?
3. Was tut Kienspan?
4. Antwortet der Maler immer auf die Reden der Frau Hedrich?
5. Was hat Frau Hedrich auf den ‚schwarzen Markt' getragen?
6. Was soll der Maler tun?
7. Was ist kein Vergnügen für Frau Hedrich?
8. Wer war Nofretete?
9. Worauf hatte sich Frau Hedrich gefreut?
10. Was soll der Kienspan zu Frau Hedrich sagen?
11. Was bietet Kienlechner Frau Hedrich an?
12. Warum sagt Frau Hedrich, daß es ein wahres Glück ist, daß Kienspan sie nicht als Akt malt?
13. Warum gefällt Nanna Wolpert dem Maler?
14. Was hat der Maler vergessen?
15. Was ist tatsächlich aus?
16. Was will Kienlechner in der Küche?
17. Was traut Frau Hedrich dem Maler nicht zu?
18. Ist Lore Hedrich mit dem Maler zufrieden?
19. Findet Lore, daß Kienspan das Bravsein übertreibt?
20. Was hat Kienlechner ganz übersehen?

Pp. 41-46

1. Was will Lore Hedrich nicht tun?
2. Wieso benimmt sich Lore Hedrich wie ein Mauleselchen?
3. Was sieht nicht aus wie ein Holländerkäse oder ein Stadtplan von Großberlin?
4. Wer würde dem Maler eine Stange Geld für das Gemälde zahlen?
5. Was hat der Maler wieder zur Hand genommen, während Lore Hedrich spricht?
6. Was für einen Schlitten malt Kienspan auf das Bild?
7. Was kann Kienspan nicht ändern?

8. Was fühlte Kienlechner, als er in der verzauberten Schneeflockendämmerung aus dem Bahnhof heraustrat?

9. Was soll noch unbedingt in das Bild der Lore Hedrich hinein?

10. Wofür haben viele Leute und auch viele Maler kein Auge
mehr?

11. Was muß man aufspüren?

12. Versteht Lore Hedrich, was Kienspan meint?

13. Wovon ist Frau Hedrich aufrichtig überzeugt?

14. In was für einem Fastnachtsputz erscheinen die Kinder?

15. Was haben die Kinder mit Mund, Nase und Augenbrauen
gemacht?

16. Wohin wollen die Kinder?

17. Wer sind die zwei armseligen, zu Gnaden aufgenommenen
Evakuierten?

18. Woher kommen die Kinder?

19. Wie heißt das als Prinzessin verkleidete Mädchen?

20. Wer antwortet für die Prinzessin?

Pp. 46-50

1. Was hat Frau Hedrich für jedes Kind gefunden?

2. Wie nennt Frau Hedrich die Kinder?

3. Was tun die Kinder, nachdem sie die Äpfel bekommen haben?

4. Warum seufzt Frau Hedrich?

5. Wohin möchte Lore Hedrich gerne gehen?

6. Warum paßt es Kienspan nicht besonders, mit Frau Hedrich
an dem Abend zum Tanz nach Oberndorf zu gehen?

7. Warum ist Frau Hedrich verärgert?

8. Wen hat Therese von weitem marschieren sehen?

9. Wie findet Therese das Bild?

10. Was möchte Herr Kienlechner gleichsam auslöschen?

11. Was haben die Fichtenspitzen, sobald sie nur ein bißchen
Sonne bekommen und der Schnee etwas davon abgefallen ist?

12. Welches Datum haben wir heute?

13. Wann ist Frühlingsanfang?

14. Hat Frau Hedrich recht, wenn sie Therese einen frechen
Schnabel nennt?

15. Worüber freut sich Lore Hedrich?

16. Worauf kann sich Lore Hedrich verlassen?
17. Warum besteht für die Erwachsenen kein Kostümzwang auf dem Ballabend?
18. Wann beginnt der Tanz?
19. Warum möchte Frau Hedrich schon um sieben Uhr in Oberndorf sein?
20. Worüber ist Lore Hedrich so verwundert?

Pp. 51-55

1. Ist Herr Kienlechner immer nett zu Lore Hedrich?
2. Glaubt Lore, daß Kienspan sie auch richtig versteht?
3. Wo ist Lores Mann?
4. Was hofft Frau Hedrich jeden Tag?
5. Was will Lore Hedrich einmal einen Abend lang vergessen?
6. Warum will Lore Hedrich nicht ohne Begleitung nach Oberndorf?
7. Findet Kienspan Gefallen an Lore Hedrich?
8. Was ist für Kienlechner abgemacht?
9. Was tut Lore, als sie Therese Wolpert zurückkommen hört?
10. Was hat Kienlechner nicht behauptet?
11. Was erzählt Kienspan aus seiner Soldatenzeit?
12. Wo war er Soldat?
13. Was ist sehr gut, wenn man so ganz allein in der schrecklichen Einsamkeit Posten steht?
14. Wer kann unter diesen Umständen sogar auch ein guter Kamerad sein?
15. Was ist für Kienlechner eine komische Mischung aus Genügsamkeit und nie gesättigtem Verlangen?
16. Wie weit ist der nächste Posten weg?
17. Warum nannten Kienspan und seine Kameraden das Gewehr eine Angstknarre?
18. Wovon ist Therese fest überzeugt?
19. Wofür dankt der Maler Frau Hedrich?
20. Wo waren Nanna Wolpert und Sixtına?

Pp. 55-59

1. Was haben Nanna und Sixtina in der Kirche gehört?
2. Waren viele Leute in der Kirche?

3. Warum schauen Kienspan und Therese so ernst aus?
4. Worüber wundert sich Nanna?
5. Worüber grübelt Kienspan nach Nannas Meinung viel zu viel nach?
6. Was glaubt Nanna, sei nicht notwendig?
7. Was für einen großen Fehler, glaubt Nanna, haben die Soldaten, die aus dem Kriege heimkommen?
8. Gibt es auf englisch ein ähnliches Sprichwort wie dieses: „Wer den Schaden hat, braucht für den Spott nicht zu sorgen?"
9. Was möchte Nanna tun?
10. Worauf ist Hermann Wolpert oft hereingefallen?
11. Warum hatte sich Frau Wolpert am ersten Abend so sehr über Kienspan gefreut?
12. Was hat der Pfarrer auf der Kanzel gesagt?
13. Wohin ist noch im letzten Monat des Krieges eine Fliegerbombe gefallen?
14. Was hat das Forstamt getan?
15. Warum wollte Nanna so gern, daß Kienspan nach Ried kam?
16. Was hat Nanna auf dem Heimweg von der Kirche zu Sixtina gesagt?
17. Was muß man auftun, meint Nanna, wenn die Welt aufgehen soll?
18. Was erscheint Kienlechner sehr fraglich?
19. Was hat Nanna für Kienspan angebahnt?
20. Was halten Männer nicht aus?

Pp. 60-63

1. Wer war auch in der Kirche?
2. Wo wohnt die alte Baronin?
3. Seit wann ist die Baronin in das Schloß eingezogen?
4. Was hat Nanna der Baronin erzählt?
5. Wen hat die Baronin bei sich im Hause?
6. Wessen Tochter ist heiratsfähig?
7. Wie hat Nanna die alte Baronin gemacht?
8. Wann erwartet die Baronin den Maler?
9. Was hat sich Nanna gedacht?
10. Wie weit ist es zu Fuß von dem Gut nach dem Schloß?

11. Wen hat die Baronin auch eingeladen?
12. Warum hat Nanna für ihre Tochter abgesagt?
13. Was tut Kienspan leid?
14. Was hat Kienspan Frau Hedrich versprochen?
15. Was hat Kienlechner im voraus nicht wissen können?
16. Was hat Nanna nicht wissen können?
17. Wie benimmt sich Nanna?
18. Was möchte Nanna durchaus nicht haben?
19. Was meint Therese dazu?
20. Was wäre für Lore Hedrich eine ganz unmögliche, ganz mutwillige Kränkung?

Pp. 63-69

1. Worauf, glaubt Nanna, sei Frau Hedrich sicher stolz?
2. Was hat man Nanna über Frau Hedrich erzählt?
3. Was hat ein Gefangener Frau Hedrich anvertraut?
4. Wer hat Therese diese Geschichte erzählt?
5. Warum hat Lore Hedrich die Wertsachen des Gefangenen an sich genommen?
6. Hat der Gefangene die Wertsachen nachher von Frau Hedrich zurückbekommen?
7. Was könnte Kienspan niemals glauben?
8. Was hat man Nanna im Dorf schon angedeutet?
9. Ist Frau Hedrich zu Hause?
10. Wie hält Nanna die Polizei bei guter Stimmung?
11. Wie heißt der Wachtmeister?
12. Was für eine Uniform trägt der Polizist?
13. Warum kann sich der Wachtmeister Stuhlreiter nicht mehr von früher her an Kienspan erinnern?
14. Was setzt Sixtina auf den Tisch?
15. Was interessiert den Wachtmeister, als er sich das Bild der Frau Hedrich anschaut?
16. Was kann Frau Hedrich nicht tun, obschon sie eine gute Anstellung in einem Büro hat?
17. Warum verfinstert sich Nannas Gesicht?
18. Was für ein Verdacht liegt gegen Lore Hedrich vor?

19. Worauf muß Herr Stuhlreiter Frau Wolpert aufmerksam machen?
20. Wozu ist Nanna der Polizei gegenüber verpflichtet?

Pp. 69-73

1. Was passiert mit Frau Hedrich, wenn die Untersuchung ungünstig für sie ausgeht?
2. Was kann Nanna in keiner Weise behaupten?
3. Was würde Nanna der Frau Hedrich nicht zutrauen?
4. Warum soll der Wachtmeister auch mit Therese über diese Angelegenheit sprechen?
5. Kann Therese Wolpert eine zweckdienliche Angabe machen?
6. Warum hat Lore Hedrich sich manchmal auch um die Gefangenen kümmern können?
7. Was für ein Mensch ist der Kommandant des Gefangenenlagers gewesen?
8. War er ein guter alter Offizier der Wehrmacht?
9. Was hat der Kommandant getan?
10. Hatte Frau Hedrich irgendwelchen Grund, der jungen Therese etwas vorzuschwindeln?
11. Worüber ist Herr Stuhlreiter froh?
12. Was tut der Polizist, als er sich verabschiedet?
13. Warum hat Nanna Tränen in den Augen?
14. Was murmelt Nanna vor sich hin?
15. Wem hätte sie auch nie mehr frei unter die Augen treten können?
16. Wovon ist Nanna befreit?
17. Worüber will Kienspan mit Nanna später einmal ganz offen reden?
18. Warum will Kienlechner auf keinen Fall jetzt darüber reden?

DRITTER AKT

Pp. 75-81

1. Wer sitzt am Nachmittag des folgenden Tages allein am Tisch?
2. Womit ist sie beschäftigt?
3. Wer ist ins Haus gekommen?

4. Was möchte Herr Wachinger wissen?
5. Warum meint der alte Wachinger, daß Kienspan Nanna Wolpert heiraten möchte?
6. Wobei möchte Nanna immer gern selber zugegen sein?
7. Auf wie lange fährt Lore Hedrich fort?
8. Wohin ist Therese nach dem Mittagessen gegangen?
9. Was weiß Sixtina ganz gut?
10. Was soll Frau Hedrich bedenken?
11. Warum weint Lore Hedrich?
12. Welche Nachricht hat Lore Hedrich von ihrem Mann bekommen?
13. Was hat Sixtina verloren?
14. Was soll sich Frau Hedrich nicht einreden lassen?
15. Warum glaubt Frau Hedrich, daß man manche Menschen vielleicht einmal bis aufs Hemd ausziehen sollte?
16. Was müßte Sixtina tun, wenn sie behaupten wollte, daß sie von Frau Wolpert je etwas anderes als die größte Güte erfahren hätte?
17. Wie ist das Herz der Nanna Wolpert?
18. Wo soll Lore Hedrich um fünf Uhr sein?
19. Wohin will Lore Hedrich fahren?
20. Hat Sixtina schon gewußt, daß Kienspan der Lore Hedrich ein wenig den Kopf verdreht hat?

Pp. 82-90

1. Was fand Lore Hedrich in ihrem Zimmer, als sie spät in der Nacht heimgekommen ist?
2. Wofür war Lore Hedrich dem Maler dankbar?
3. Woraus hatte die Polizei Frau Hedrich einen Strick drehen wollen?
4. Wohin hätte man Lore Hedrich auf jeden Fall erstmal gesteckt, wenn Therese Wolpert nicht zu ihren Gunsten ausgesagt hätte?
5. Was soll Sixtina noch schnell für Lore Hedrich machen?
6. Wo will Lore Hedrich zunächst mit ihrem Mann bleiben, bis sie eine Wohnung gefunden hat?
7. Warum gefällt Therese Frau Hedrich nicht?

8. Was leiht Therese der Lore Hedrich für die weite Fahrt?
9. Worauf soll Lore Hedrich nur achtgeben?
10. Weiß Lore Hedrich, was eigentlich mit Therese los ist?
11. Was für ein Geheimnis verrät Frau Hedrich der jungen Therese?
12. Warum lächelt Therese schmerzlich?
13. Was will Lore Hedrich der Sixtina für die eingewickelten Brötchen geben?
14. Was kommt Therese wie ein Abschluß vor?
15. Hat Sixtina vor siebzehn Jahren auch „Fräulein" und „Sie" zu Therese gesagt?
16. Warum ist Sixtina so erschrocken?
17. Wen hat Frau Wolpert gerade auf dem Hof gesprochen?
18. Wer ist neugieriger als zehn alte Weiber?
19. Was würde Nanna heute tun, wenn sie der Liebe Gott wäre?
20. Was läßt sich Nanna von Sixtina ausziehen?

Pp. 91-96

1. Was tut Nanna, als Sixtina das Zimmer verlassen hat?
2. Was hat Nanna so unauffällig schlau eingefädelt?
3. Was hat Herr Kienlechner die gnädige Frau Nanna noch nicht gefragt?
4. Was rechnet Nanna dem Kienspan so hoch an?
5. Was hat Nanna den ganzen Tag gespürt?
6. Was für ein Gefühl hat Nanna?
7. Was soll Sixtina tun, wenn Kienspan herunterkommt aus seinem Zimmer?
8. Hätte Nanna mit ihrer Mutter so reden können wie mit Sixtina?
9. Warum sagt Sixtina nichts sogleich?
10. Warum glaubt Nanna, daß es gut wäre, wenn sie den Christian Kienlechner zum Manne hätte?
11. Worüber hat sich Sixtina in den letzten Tagen oft gewundert?
12. Was hat Nanna in Gegenwart Khereses so oft und unbewußt getan?
13. Was fürchtet Sixtina?
14. Weshalb hat Nanna ihre Tochter Therese auf dem Speicher ausgeschimpft?

15. Was hat Nanna vermutlich schon an Kienspan bemerkt?
16. Was fällt Kienspan schwer?
17. Warum glaubt Kienspan, daß er in den allernächsten Tagen aus Ried abreisen muß?
18. Wo darf nach Kienspans Meinung der Mensch nicht bleiben?
19. Wen liebt Kienlechner?
20. Was erscheint Kienspan so hoffnungslos?

Pp. 91-103

1. Ist Therese viel jünger als Kienlechner?
2. Was für einen Eindruck hatte Kienspan mit Bezug auf Therese?
3. Was könnte Therese vielleicht mit einer wirklichen Liebe verwechseln?
4. Wie versteht Kienspan das Schweigen Nannas?
5. Warum macht Nanna einen tiefen Atemzug?
6. Was versteht Kienspan auf einmal, als er Nannas Blick begegnet?
7. Was tun Kienlechner und Nanna nach einer Weile?
8. Was hatte sich Nanna die ganze Zeit eingebildet?
9. Welche Dummheit will Nanna sich nicht erlauben?
10. Warum soll Kienspan dabei sein, wenn Nanna mit Therese redet?
11. Was glaubt Therese, als die Mutter sie ins Zimmer ruft?
12. Was reut Therese?
13. Worüber, glaubt Therese, haben Kienspan und Nanna gelacht?
14. Warum soll es mit dem Liebhaben nicht so schlimm sein?
15. Was hat Therese an dem einen einzigen Abend, an den sich Kienspan vielleicht noch erinnert, plötzlich gewußt?
16. Was haben sich alle bemüht, der jungen Therese zu beweisen?
17. Wie wird Thereses Stimme?
18. Wie fühlt sich Therese, als die Mutter ihr sagt, daß Kienlechner sie um die Hand ihrer Tochter gebeten hat?
19. Seit wann weiß Kienspan, daß man seine eigene Seele nur haben kann, wenn man sie nicht für sich behält?
20. Was hat sich Therese immer gewünscht?

Pp. 103-107

1. Wohin würde Kienspan mit seiner Geliebten gehen, wenn sie es wollte?
2. Was sind fortunatische Mützen?
3. Was für einen Auftrag gibt Nanna den beiden glücklichen Verlobten?
4. Was sollen die beiden Verlobten den Pfarrer fragen?
5. Warum darf keine Zeit verloren werden?
6. Wie lange werden nach Nannas Schätzung die zwei glücklichen Menschen fortsein?
7. Womit eilt es nicht?
8. Wieso hätte Kienspan es bequemer gehabt, wenn er sich mit Nanna statt mit Therese verlobt hätte?
9. Warum berührt Sixtina leise Nannas Arm?
10. Was hatte Nanna in ihrer Selbstbefangenheit ganz übersehen?
11. Warum ruft Nanna den Pfarrer an?
12. Warum nimmt Nanna den Telefonapparat ins Zimmer?
13. Was für Fragen stellt der Pfarrer an Nanna?
14. Ist Nanna wirklich nicht traurig?
15. Was hätte Nanna gerne noch einmal getan?
16. Ist die *Ländliche Winterkomödie* eine wirkliche Komödie im eigentlichen Sinne des Wortes?

Vocabulary

The vocabulary is reasonably complete. Nouns are listed with their respective article; genitive case and plural endings are also given, e.g., **der Vater, -s, ⸚** or **das Fuhrwerk, -s -e.**

The principal parts of strong and irregular verbs are indicated by the ablaut vowels in parentheses as follows: **scheinen (ie, ie, ei).** No principal parts are listed for the weak verbs.

A

ab off, down, away from, from, exit; **ab und zu** now and then, sometimes

abbringen (a, a, i) dissuade

der Abend, -s, -e evening

das Abendbrot, -es, -e supper, evening meal

das Abendessen, -s, - supper, evening meal

abends evenings

der Abendzug, -es, ⁼e evening train

aber but, however

abfallen (ie, a, ä) fall, drop

abgeben (a, e, i) give, give up, give away

abgehen (i, a, e) go off, depart

das Abgehen, -s departure

das Abgekochtwerden, -s state of being boiled down

der Abgrund, -es, ⁼e abyss

abhängen (i, a, ä) depend on

abkünden announce from the pulpit, post the marriage banns

ablegen take off; **abliegen (a, e, ie)** be remote, distant, isolated

abmachen settle, arrange; **abgemacht** ok, agreed, it's a bargain

das Abmalen, -s (the act of) painting, portraying

abnehmen (a, o, i) take off

absagen refuse, decline

der Abschluß, -sses, -üsse closing, close

abschütteln shake off

absolut absolute(ly)

sich abspielen take place

abstreifen strip off

abstreiten(i, i, ei) dispute, deny

abtun (a, a, u) put off, lay aside, dispose of

abwarten wait

die Abwechs(e)lung, -, -en change

abwehren ward off

abzählen count off

abziehen (o, o, ie) go away

ach alas !, ah !, oh !

die Achsel, -, -n shoulder; **die Achseln zucken** shrug one's shoulders

acht eight

die Acht, - attention; **achtgeben** pay attention to

adjüs (corrupted form of French) adieu

Afrika Africa

ahnen have a foreboding notion, have an idea, suspect, surmise

ähnlich similar, like, resembling

die Ähnlichkeit, - similarity, likeness, resemblance

die Ahnung, -, -en idea, notion

der Akt, -es, -e act (of a play); nude model

all, alle all, entire, whole, every, each

allein alone

alleinstehen (a, a, e) stand alone

alleinstehend lone, alone, single

aller of all

das Allerbeste, -n the best

allerdings to be sure

allerhand of all sorts and kinds, diverse, sundry

allerletzt last

allernächst the very next

allgemein general

allweil always

als than, as; **als ob** as if

also thus, so, then, therefore

alt old

die Alte, -n, -n old woman, old lady

das Alter, -s age, old age

altmodisch old-fashioned

der Amerikaner, -s, - American

amerikanisch American

das Amt, -es, ̈er office, charge; **von Amts wegen** officially

an on, at

anbahnen prepare, set the stage for

anbehalten (ie, a, ä) keep on

anbieten (o, o, ie) offer

anbinden (a, u, i) tie on, tie to

anderer, -e, -es other, else, another

ändern change, alter

anderthalb one and a half

andeuten indicate, hint

die Andeutung, -, -en indication, hint

sich aneignen appropriate

die Aneignung, -, -en appropriation, acquisition, conversion to one's own use

der Anfang, -s, ̈e beginning

anfangen (i, a, ä) begin, start

anfeuern heat, inflame, set on fire, fire

die Angabe, -, -en declaration, denunciation, statement

angehen (i, a, e) begin, concern

der Angehörige, -n, -n member, relative

die Angelegenheit, -, -en affair

angenehm pleasing, pleasant, agreeable

die Angst, -, ̈e fear, anxiety

die Angstknarre, -, -n (slang) military rifle

anhaben have on

anhalten (ie, a, ä) continue, persist in

anhängen (i, a, ä) hang on, onto

ankämpfen struggle against

ankommen (a, o, o) arrive

ankündigen announce

die Ankunft, -, ̈e arrival

anlächeln smile at

anläuten call, telephone, ring

anmerken perceive, observe, notice

annehmen (a, o, i) take, receive, accept, assume

anrechnen count, appreciate

anrichten prepare, serve up (a dish)

anrufen (ie, u, u) call, telephone

anschauen look at

anschlagen (u, a, ä) strike up, at

ansehen (a, e, ie) notice, see

ansprechen (a, o, i) address

anständig decent(ly), proper(ly), respectable(ly)

anstatt instead of

die Anstellung, -, -en appointment, job, position

antreffen (a, o, i) meet, fall in with

die Antwort, -, -en answer

antworten answer

anvertraut trusted, entrusted

anziehen (o, o, ie) put on (clothes), dress

der Apfel, -s, ̈ apple

die Arbeit, -, -en work

arbeiten work

ärgern annoy, irritate, vex

der Ärger, -s annoyance, irritation, vexation, chagrin

arm poor

der **Arm, -es, -e** arm
die **Armbanduhr, -, -en** wrist watch
der **Ärmel, -s, -** sleeve
armselig unfortunate
die **Art, -, -en** kind, manner, way
der **Atem, -s** breath
atemlos breathless
der **Atemzug, -es, ⁻e** breath
auch also, too
auf on, upon, in; **auf einmal** suddenly, at once
aufbegehren start up in anger, remonstrate in an angry manner, protest
aufblicken look up
aufblühen bloom, blossom, flourish
aufgeben (a, e, i) give, give out, present
aufgehen (i, a, e) rise, expand, open
aufhalten (ie, a, ä) hold up, stop, delay
aufhorchen listen attentively
aufhören cease, stop, end, finish
aufklären explain
auflachen burst out laughing
auflegen put, lay on
aufleuchten flash up, light up, shine
aufmachen open
aufmalen paint
aufmerksam (auf etwas) machen direct or call attention to something
aufnehmen (a, o, i) take in, receive
aufpassen pay attention to
aufregen stir up, excite
aufreißen (i, i, ei) tear open
aufrichtig sincere, honest

aufrütteln shake up, arouse
aufschreiben (ie, ie, ei) write down
aufsetzen set on, put on
aufspringen (a, u, i) jump up
aufspüren detect, trace
aufstampfen stamp on, stamp
aufstehen (a, a, e) stand up, rise, get up
aufsuchen visit, go to see
auftischen set on the table, serve
der **Auftrag, -es, ⁻e** errand, message
das **Auftreten, -s** appearance
auftun, (a, a, u) open
aufwachen wake up
aufwecken make alert, make awake
aufwerfen (a, o, i) throw up, raise
das **Auge, -s, -n** eye
der **Augenblick, -s, -e** moment, instant
die **Augenbraue, -, -n** eyebrow
aus out, out of, from; **von sich aus** by himself, herself, itself
die **Ausbildung, -, -en** training, education
ausbleiben (ie, ie, ei) stay away
ausbreiten spread, stretch, spread out
der **Ausdruck, -es, ⁻e** expression
ausdrücklich expressly
auseinander apart
ausfliegen (o, o, ie) fly out, escape, run away, leave home
der **Ausflug, -es, ⁻e** excursion
ausfragen sound out, ask about, interrogate
ausgehen (i, a, e) go out
ausgerechnet above all, of all things, just, exactly
das **Ausgesetztsein, -s** exposure

aushalten (ie, a, ä) hold out, endure, bear

sich auskennen (a, a, e) know where one is, know

die Auskunft, -, ⸚e information

auslachen laugh at, deride

auslöschen put out, extinguish

ausmachen put out (fire), decide, arrange; **es macht nichts aus** it doesn't make any difference

ausnahmsweise for once, by exception

ausrechnen calculate, compute

ausreden talk out, finish speaking

die Aussage, -, -n testimony

ausschauen look out (for)

ausschimpfen scold, give a scolding to

ausschlagen (u, a, ä) refuse, decline

ausschließen, (o, o, ie) exclude; **ausgeschlossen** impossible

aussehen (a, e, ie) look, appear

aussein be out

außen outside

aussenden (a, e, e) send out

außer besides, except, outside of

außerdem besides, moreover, apart from

aussprechen (a, o, i) pronounce, speak out

ausstrecken reach out, hold out, extend

ausströmen pour forth, emanate

austauschen exchange

austrinken (a, u, i) drink out, drink up

auswaschen (u, a, ä) wash, rinse

der Ausweg, -es, -e way out

ausziehen (o, o, ie) take off

der Autobus, -sses, -sse bus

der Autofritz, -en, -en (slang) driver of a bus or car, chauffeur

B

das Baby, -s, -ies baby

der Bahnhof, -s, ⸚e railway station

bald soon

bange afraid, scared

die Bange, - fear

die Baronin, -, -nen baroness

der Baum, -es, ⸚e tree

bayrisch Bavarian

beanspruchen claim, lay claim to

bedenken (a, a, e) consider

das Bedenken, -s, - hesitation, doubt, objection

bedeuten mean, signify

die Bedeutung, -, -en significance, meaning, importance

die Bedingung, -, -en condition; **auf die Bedingung** on condition, provided

befangen embarrassed, shy, timid, restrained

befragen examine, question, interrogate

befreiend relaxing, relieving

befreit freed

sich befressen (a, e, i) to stuff oneself

begegnen meet, encounter, treat

begehen (i, a, e) do, commit

beginnen (a, o, i) begin, start

begleiten accompany

die Begleitung, -, -en accompaniment

begnügen to be content with, be satisfied with

begreifen (i, i, ei) understand, conceive

der **Begriff, -es, -e** comprehension;
im **Begriff sein** be on the point of
begrüßen welcome, greet
die **Begrüßung, -, -en** welcome,
greeting
behalten (ie, a, ä) keep
behandeln treat, deal with
behaupten claim, assert, say
behüten guard, watch over, protect
bei by, near, at, with, among
beieinander altogether
beibringen (a, a, i) bring forward, produce
beide both
das **Bein, -es, -e** leg; **sich auf die Beine machen** start, haste, set out
beinahe almost, nearly, well-nigh
das **Beispiel, -s, -e** example
bekannt sein be acquainted; **bekanntlich** as is well known
bekommen (a, o, o) receive, obtain
bekomplimentieren compliment
sich bekreuzigen 'make the sign of the cross
belehren advise, instruct
die **Belehrung, -, -en** instruction, advise, information
beleidigt insulted
bemerken notice
sich bemühen take trouble
sich benehmen (a, o, i) behave, act
benützen make use of, use, utilize
bequem comfortable, convenient
sich bereichern enrich oneself
bereit ready, prepared
der **Berg, -es, -e** mountain
der **Bergbach, -s, ⸚e** mountain river

das **Bergwasser, -s, ⸚** mountain water
berichten report, inform, instruct
der **Beruf, -es, -e** calling, vocation, profession
berühren touch
die **Besatzungsmacht, -, ⸚e** occupational power
sich besaufen (o, o, äu) get drunk
beschäftigen occupy oneself with, concern oneself
beschäftigt busy
Bescheid sagen let know
beschließen (o, o, ie) decide
sich besinnen (a, o, i) recollect, remember, think of
besitzen (a, e, i) possess
besonders especially, particularly
die **Besorgung, -, -en** errand, task
besprechen (a, o, i) discuss
besser better
das **Beste** the best
bestehen (a, a, e) exist, be
bestellen order
bestimmt definitely, surely, certainly
der **Besuch, -es, -e** visit
beten pray
betrachten look at
betreffen (a, o, i) concern; **betreffend** concerning; **in Betreff** with regard to, as to
das **Bett, -es, -en** bed
beugen bend
bevor before
sich bewegen move
die **Bewegung** movement
beweisen (ie, ie, ei) prove, show
bewillkommnen welcome
bewundern admire

das **Bewußtsein**, -s consciousness, knowledge
bezahlen pay'
bezaubern enchant, charm
die **Beziehung**, -, -en relation, connection
biegen (o, o, ie) bend, turn
das **Bild**, -es, -er picture, portrait; im **Bilde sein** see, know, "get it"
binden (a, u, i) bind
bis until
bisher till now, hitherto, up to now
bißchen, bissel a little bit
bitte please; **wie bitte** I beg your pardon
bitten (a, e, i) ask, request, beg
bitter bitter
die **Bitternis**, -, -sse bitterness
blaß pale
blau blue
bleiben (ie, ie, ei) remain, stay
der **Blick**, -es, -e look, glance
blind blind
bloß bare, naked, merely, only
die **Boa**, -, -s boa
der **Boden**, -s, ⁻ floor, ground, bottom
die **Bombe**, -, -n bomb
die **Bombenzeit**, -, -en period of bombing, air raids
bös bad, evil, angry, sore, cross
das **Böse**, -n evil, mischief
brauchen use, require, need
braunblond brown-blond, dark-blond
die **Braunen** the browns (i.e., the brown horses)
die **Braut**, -, ⁻e bride, betrothed, fiancée

die **Brautleute** betrothed couple
brav brave, good, nice
das **Bravsein**, -s being good
brennen (a, a, e) burn
der **Brief**, -es, -e letter
bringen (a, a, i) bring; **zu Stande bringen** effectuate, get going (of fire)
das **Brot**, -es, -e bread; das **Brötchen** breakfast roll
das **Brotkörbchen**, -s, - little basket for bread
die **Bruderschaft**, -, -en brotherhood, fellowship; **Bruderschaft trinken** drink the pledge of brotherhood
der **Brunnen**, -s, - well, spring, fountain
die **Brust**, -, ⁻e breast
der **Bub(e)**, -(e)n, -(e)n boy
der **Bund**, -es, ⁻e union, alliance, league
das **Bündel**, -s, - bundle
der **Bürgermeister**, -s, - burgomaster, mayor
der **Burgunderwein**, -s, -e burgundy wine
das **Büro**, -s, -s bureau, office
das **Bürscherl**, -s, - lad, stripling

D

da there, here
dabei thereby, thereat, incidentally; **dabei sein** take, part, be there, be present
dabeistehen (a, a, e) stand by, stand near, stand there
dafür for it, for that
dagegen against
daheim at home

daher therefore, thus
daherkommen (a, o, o) come
daherreden talk, chatter about
dahin away, gone, off
damals then, at that time
die Dame, -, -n lady
die Dämmerung, -, -en twilight, dusk
daneben beside, close by, near it
dankbar grateful
Dank, danke, dankeschön thanks; **Gott sei Dank** thank God
danken thank
dann then; **dann und wann** now and then
daran about
darankommen (a, o, o) take over
daranlehnen lean on
darauf thereon, thereupon
darauffallen (ie, a, ä) fall upon
daraufkommen (a, o, o) come upon
daraufzufahren (u, a, ä) drive to it
darinnen therein, inside
darstellen represent
darüber about it
darum therefore, for that reason
dasitzen (a, e, i) sit there, sit
daß that, in order that, so that
dastehen (a, a, e) stand, be there
dauern last
davon of it
dazumal at that time
dazwischenfahren (u, a, ä) intervene
decken cover; **den Tisch decken** set the table
das Delikt, -es, -e delictum, delict
denken (a, a, e) think

denn then, for
derweil(en) the while, meanwhile, all the time
deswegen on that account, because
deutlich clear(ly)
deutsch German
Deutschland, -s Germany
dich you, *see* **du**
dick thick, fat
der Diebstahl, -s, ⸚e theft
dienstlich official(ly)
dieser this, that
das Ding, -es, -e thing
dir you (dat.), *see* **du**
doch yet, still, nevertheless, though
die Doktorfrage, -, -n ticklish question
Donnerwetter confound it, darn it!
das Dorf, -es, ⸚er village
die Dorfweide, -, -n village pasture, pasture land
dort there
draußen outside
drehen twist, turn, switch on
drei three
dreißig thirty
dreizehn thirteen
drin, drinnen, darinnen in, inside
dritt third; **drittens** thirdly
droben (da oben) up there
drohen threaten, admonish
drüben (darüben) over there
drücken press, squeeze, pinch, bother; **mich drückt der Schuh** something ails me
du you
der Duft, -es, ⸚e scent, fragrance, smell, odor

dumm stupid
das Dumme, -n something stupid
die Dummheit, -, -en stupidity
dunkel dark
das Dunkel dark, darkness
dünn thin
durch through; **durchaus** throughout, quite, absolutely
durchgucken look through
durchkommen (a, o, o) get through, come through
durchmachen finish, accomplish, go through, experience
durchschleppen drag through
durchschmecken taste, get one's fill of
durchsetzen carry through, succeed
durchsichtig transparent
dürfen (u, u, a) dare, risk, may, be allowed

E

eben just
die Ecke, -, -n corner, angle, nook
der Edelmutstreit, -s, -e magnanimity, generosity, contest
ehe ere, formerly, before
eher more easily
die Ehre, -, -n honor; **zu Ehren** in honor of
ehrlich honest; **ehrlich gestanden** quite honestly
das Ei, -s, -er egg
die Eiche, -, -n oak
eifersüchtig jealous
eifrig busy, eager, studious
eigen proper, one's own, peculiar, individual
der Eigensinn, -s obstinacy, caprice, self-will

eigentlich actually, proper, true, real
das Eigentum, -s, ̈er property
eilen hurry
eilig hurried, quick, urgent; **nichts Eiligeres zu tun haben** have nothing more urgent to do
ein a, an
einander each other, one another
einbilden fancy, imagine
der Eindruck, -s, ̈e impression
einengen confine, narrow
einfach simple, simply
einfädeln contrive artfully
die Einfahrt, -, -en entrance, drive
einfüllen fill in, fill up
eingeben (a, e, i) insert, suggest, inspire
eingebildet conceited
einigen agree
einladen (u, a, ä) invite
einleiten introduce, go ahead, begin
einleuchten be clear, be evident, see
einmal once, once in a while; **auf einmal** at once, suddenly; **noch einmal** once more
die Einöde, -, -n desolate place, solitude
einquartieren quarter, billet, lodge
die Einrede, -, -n talk
einreden talk, convince, voice
die Einrichtung, -, -en arrangement, household establishment
die Einsamkeit, - loneliness, solitude, isolation
einschieben (o, o, ie) insert, put in, add
einschließen (o, o, ie) close in, include

einschnüren lace up, tie up
einsehen (a, e, ie) perceive, have regard
einsperren lock up, confine, imprison
einstecken put in, put up, pocket, imprison
einstimmen join in, agree, consent
eintreffen (a, o, i) arrive, happen
eintreten (a, e, i) enter
einundzwanzig twenty-one
einverstanden sein be agreed, like
einwickeln envelop, wrap up
einzeln(e) single
einziehen (o, o, ie) draw in, confiscate, take in
einzig only, unique, single
die Eisbude, -, -n icy room, cold room
das Elektrizitätswerk, -s, -e electric power plant
elend miserable
das Elend misery
die Elendszeit, -, -en time of misery
die Eltern parents
empfinden (a, u, i) feel, perceive
das Ende, -s, -n end
endlich at last, finally
endlos endless
eng narrow, confined
die Enkeltochter, -, ̈ granddaughter
entdecken discover
entgegen against, toward
entgegenschicken send to meet
entgegensprechen (a, o, i) speak, interject
entgegenstrahlen radiate toward
die Entlastung, -, -en exoneration

entscheiden (ie, ie, ei) decide, determine, resolve, decree
entschlüpft slipped out, escaped
entschuldigen excuse
die Entschuldigung, -, -en excuse, apology, forgiveness
enttäuscht disappointed
entweder either
entzücken enchant, charm, delight
die Erde, -, -n earth
das Erdreich, -s, -e soil
erfahren (u, a, ä) experience, come to know
der Erfolg, -es, -e success, result; **Erfolg haben** be successful
erfreulich gratifying, delightful
erfreut pleased
erfrischen refresh
erfüllen fulfill
ergreifen (i, i, ei) grasp, grip
erhalten (ie, a, ä) keep up, preserve, receive, obtain
erheben (o, o, e) raise
erinnern remind, remember
die Erinnerung, -, -en memory, recollection, reminiscence
erkennen (a, a, e) recognize
erklären explain
sich erkundigen inquire about, inform oneself
erlauben allow, permit
die Erlaubnis, -, -sse permission
erleben experience, witness
das Erlebnis, -sses, -sse experience
ernst serious, earnest(ly)
der Ernst, -es seriousness, earnestness, sternness
ernsthaft earnestly
erraten (ie, a, ä) guess
der Ersatz, -es substitute, replacement

die **Erscheinung, -, -en** appearance
erschrecken (a, o, i) frighten, be
startled, take fright
ersetzen substitute, replace
ersparen spare
erst first, just, only; **erstens** first
(ly)
erstmal the first time
ertragen (u, a, ä) bear, suffer,
stand, tolerate, endure
ertrinken (a, u, i) drown
erübrigen save, spare (money);
sich erübrigen be superfluous
erwachen wake up
erwachsen (u, a, ä) grow up
die **Erwachsenen** grownups
erwärmt warmed
erwarten expect, wait for
die **Erwartung, -, -en** expectation
erwartungsvoll expectant, full of
expectation
erweisen (ie, ie, ei) prove, show,
render to
erwischen catch
erzählen tell, give an account of,
narrate
erzgebirgisch pertaining to or
from the Erzgebirge, a mountain range in Böhmen (Bohemia)
erziehen (o, o, ie) educate
das **Erziehungsgesicht, -s, -er**
face of a schoolteacher
es it
der **Esel, -s, -** ass, donkey, dunce,
jackass
essen (a, e, i) eat
das **Essen, -s** supper, meal; **das
Essen einrichten** set the table
die **Eßsachen** things to eat
das **Eßzimmer, -s, -** dining room
etwa perhaps, nearly, about

etwas something, some, somewhat
euch you
eure your
evakuieren evacuate
ewig everlasting, eternal
existieren exist

F

fade stale, dull, insipid
fahren (u, a, ä) go, travel, ride,
drive (of a ship, sail)
die **Fahrgelegenheit, -, -en** op-
portunity to get a ride
die **Fahrt, -, -en** ride, drive
fallen (ie, a, ä) fall
der **Fall, -es, ⁻e** fall, case, accident,
situation; **auf alle Fälle** at all
events
falsch false, wrong
falten fold
fangen (i, a, ä) catch, take prisoner
das **Faschingskind, -es, -er** Mardi
gras child
sich fassen contain, compose oneself, pull oneself together
fast almost
der **Fastnachtsputz, -es** Mardi gras
costumes
der **Februar, -s** February
die **Feder, -, -n** pen, feather
fehlen fail, miss; **weit gefehlt** far
from it
der **Fehler, -s, -** mistake, error,
fault
die **Feier, -, -n** festival, celebration
feierlich ceremoniously
der **Feind, -es, -e** enemy, foe
sich feinmachen to dress up
das **Feld, -es, -er** field; **das Feld
räumen** clear the field, yield

felsenfest firm as a rock
das Fenster, -s, - window
die Fensterscheibe, -, -n window pane
die Ferne, -, -n remoteness, distance; **aus der Ferne** from the distance
fertig ready, finished
fesseln fetter, chain, fasten, captivate
fest firm
das Fest, -es, -e feast, celebration, holiday
der Festgast, -es, ̈e guest of honor
festlich festive
die Feststimmung, -, -en festive mood
das Feuer, -s, - fire
die Fichte, -, -n spruce; **die Fichtenspitze** top of spruce
finden (a, u, i) find
der Finger, -s, - finger
finnisch Finnish
finster dark, dim, gloomy
flach flat, plain, level
die Flasche, -, -n bottle
der Fleck, -es, -n spot, small country town
fleißig industrious(ly), diligent, assiduous
die Fliegerbombe, -, -n bomb (dropped from an airplane)
fließen (o, o, ie) flow
die Flucht, -, -en flight, escape
flüchtig briefly
der Flüchtling, -s, -e refugee
der Flügel, -s, ̈ wing
folgen follow
die Form, -, -en form

das Forstamt, -s, ̈er forestry board, conservation office
die Forstverwaltung, -, -en forestry administration (of a private estate, keeper's office)
fort away, off
fortfahren (u, a, ä) drive off, depart, go
fortgehen (i, a, e) go away
fortmüssen (u, u, u) be obliged to go
fortunatisch fortunate (refers to Fortunatus, well-known 16th century hero of a German chapbook, who had a wishing-cap and magic purse)
fragen ask, question
die Frage, -, -n question; **nicht in Frage kommen** be out of question
fraglich questionable, doubtful
Frankreich France
der Fratz, -es, ̈e silly person, rascal, fool
die Frau, -, -en (married) woman, wife, lady, Mrs.
das Fräulein, -s, - miss, young lady
frech fresh, impudent
frei free, frank; **frei sein** take the liberty
die Freiheit, -, -en freedom, liberty
freikriegen get free
freilich to be sure, however, of course
freimütig frank(ly)
fremd strange
die Freske, -, -n fresco painting
fressen (a, e, i) eat
das Fressen, -s feed, food

die **Freude, -, -n** delight, pleasure, favor

sich **freuen** to be glad, rejoice, be happy

der **Freund, -es, -e** friend

der **Friede(n), -s** peace

die **Friedenszeit, -, -en** peace time

frieren (o, o, ie) freeze

frisch fresh(ly)

froh joyful, glad, gay, happy

fromm pious

früh early; **früher** before

das **Frühjahr, -s, -e** spring

der **Frühling, -s, -e** spring; der **Frühlingsanfang** beginning of spring

die **Frühlingserwartung, -** expectance of spring

das **Frühstück, -s** breakfast

fügen fit together, ordain

die **Fügung, -, -en** disposition of providence

die **Führerin, -, -nen** leader (female)

das **Fuhrwerk, -s, -e** cart, wagon

die **Fülle, -** fullness

fünf five

für for; **für sich** to herself

furchtbar fearful(ly), dreadful(ly), frightful(ly)

sich **fürchten** be afraid, fear, be fearful

der **Fuß, -es, -̈e** foot; **zu Fuß** on foot

der **Fußweg, -es, -e** footpath

G

galant gallant

der **Gang, -es, -̈e** hallway, gate, walk

der **Gänsemarsch, -es, -̈e** goose-step

ganz whole, entire, all, quite

gänzlich completely, totally, wholly

gar at all, finished, ready

garnicht not at all

der **Garten, -s, -̈** garden

der **Gast, -es, -̈e** guest

das **Gasthaus, -es, -̈er** inn, tavern, restaurant

die **Gebärde, -, -n** gesture

geben (a, e, i) give, be, exist

das **Gebet, -s, -e** prayer

der **Gedanke, -ns, -n** thought

das **Gedicht, -es, -e** poem

die **Geduld, -** patience

geduldig patient

die **Gefahr, -, -en** danger

sich **gefallen lassen (ie, a, ä)** suit, please, like

das **Gefallen, -s** pleasure, liking; **zu Gefallen tun** do in order to please, do in order to oblige

der **Gefangene, -n, -n** prisoner

das **Gefangenenlager, -s, -** prisoner-of-war camp

gefaßt composed, calm, ready, prepared

gefranst fringed

das **Gefühl, -s, -e** feeling

gegebenenfalls if occasion arises

gegen against, toward

die **Gegend, -, -en** region

gegenseitig reciprocal, mutual

die **Gegenseitigkeit, -, -en** reciprocity

das **Gegenteil, -es, -e** contrary, reverse

gegenüber opposite, toward, in respect to

gegenwärtig present, actual, extant

das Geheimnis, -sses, -sse secret
gehen (i, a, e) go, be possible
gehören belong to
das Geld, -es, -er money
gelingen (a, u, i) succeed
gelten (a, o, i) be worth, be true, be right; **gelten lassen** let stand, let "rate"
der Gemahl, -(e)s, -e husband
das Gemälde, -s, - painting, picture, portrait
gemein mean
die Gemeinde, -, -n parish, congregation, community, township, town hall
gemeinsam in common, together
das Gemüse, -s, - vegetable
gemütlich comfortable, cosy
genau precise(ly), exact(ly)
die Generation, -, -en generation
sich genieren feel awkward or embarrassed
genug enough
genügen satisfy
die Genügsamkeit, -, -en contentedness, moderation
gepreßt pressed
gerade straight, direct, just, quite
das Gericht, -s, -e court
die Gerichtssache, -, -n court affair
gern gladly; **gern haben** like
gesättigt sated, satiated
geschehen (a, e, ie) happen, come to pass
gescheit smart, clever
die Geschichte, -, -n history, story, event
das Geschirr, -es, -e dishes, china, table utensils

der Geschmack, -es, ¨e taste
geschminkt painted
das Geschöpf, -es, -e creature
geschwind fast, quick(ly), swift (ly)
die Geschwister, - brothers and sisters
die Gesellschaft, -, -en company, society, party
die Gesellschafterin, -, -nen lady companion
das Gesicht, -es, -er face, countenance, visage, look, appearance
das Gesindel, -s, - rabble
gespannt intent, eager, curious
das Gespräch, -es, -e conversation, talk; **ein Gespräch führen** have a talk, converse
der Gesprächsstoff, -s, -e topic of conversation
gestehen (a, a, e) admit, confess
gestern yesterday
gesundpflegen nurse back to health
getrost comforted, confident(ly)
gewaltig mighty, strong, powerful (ly)
das Gewand, -es, ¨er garment, dress
das Gewehr, -s, -e rifle, gun
gewiß certain(ly), sure(ly), assuredly
gewöhnen habituate, accustom; **gewöhnt sein** be accustomed to
gewöhnlich as usual
das Gitter, -s, - fence, railing, lattice
das Glas, -es, ¨er glass
glauben believe; **daran glauben müssen** die, must "go"
gläubig faithful, credulous

glaubwürdig credible
gleich right, right away, equal, like, same
gleichfalls likewise, at the same time
gleichsam as though, as if, almost
das Glöckchen, -s, - little bell
das Glück, -es luck, happiness
glücklich happy, happily, fortunate(ly)
glühen glow
die Gnade, -, -n grace, mercy, kindness
gnädig gracious, kind; **gnädige Frau** madam
das Gold, -es gold
der Gott, -es, ¨er God, god; **Gott sei Dank** thank God
der Graf, -en, -en count
gräßlich horrible, terrible, shocking
gratulieren congratulate
grau gray
gröhlen bawl, squall
groß great, big
der Großvater, -s, ¨ grandfather
großväterlich grandfatherly
grübeln brood
grün green
der Grund, -es, ¨e ground, earth, land, valley, reason
grundlos bottomless, boundless, groundless, unfounded, causeless; **das Grundlose, -n** bottomlessness
gruseln make shudder, shudder
grüßen greet; **Grüß Gott!** Greetings!
die Gunst, - favor; **zu meinen Gunsten** in my favor
günstig favorable
gut good, well, nice; **das Gute** good

das Gut, -es, ¨er estate, farm complex
die Güte, - kindness, goodness
der Güterwagen, -s, - freight car
der Gutglauben, -s trust
gutherzig kind, good-hearted
gütig good, nice
gutmütig good-natured
der Gutsbaumeister, -s, - manager, caretaker of an estate
der Gutsherr, -en, -en proprietor
die Gutsherrin, -, -nen mistress of an estate, proprietoress
die Gutsverwaltung, -, -en estate management, administration of an estate
die Guttat, -, -en good deed

H

das Haar, -es, -e hair
haben have
halb half
das Halbdunkel, -s dusk, twilight
halblaut half-aloud
der Hals, -es, ¨e neck
halt after all, indeed
halten (ie, a, ä) hold; **halten von** think of
die Haltung, -, -en holding, carriage, character
der Hamsterer, -s, - hamster, hoarder
die Hand, -, ¨e hand
das Handgelenk, -s, -e wrist
das Handköfferchen, -s, - suitcase, small luggage
die Handtasche, -, -en handbag
die Hängelampe, -, -n hanging lamp

hängen (i, a, ä) hang, suspend;
hängen bleiben stay around; **aneinanderhängen** cling to each
other, depend on one another
hart hard
das Harz, -es, -e resin
der Hase, -n, -n hare
die Hast, - haste
der Haufen, -s, - heap, crowd
hauptsächlich mainly
das Haus, -es, ¨er house
der Hausherr, -n, -en master of
the house
die Hausfrau, -, -en lady of the
house, housewife
der Hausfreund, -es, -e friend of
the family
die Haut, -, ¨e hide, skin; **ehrliche Haut** honest soul
heben (o, o, e) lift, raise
heftig violent(ly), vehement(ly),
fervent(ly), hearty, heartily
heilig sacred, holy
heimatlich homelike, native, belonging to one's home
heimdenken (a, a, e) think of
home
heimkommen (a, o, o) come home
heimlich secret
heimschicken send home
der Heimweg, -es, -e way home
heiraten marry
heiratsfähig marriageable
heiß hot; **das Heiße** something
hot
heißen (ie, ei, ei) to be called,
mean
heiter gay, cheerful
die Heiterkeit, -, -en gaiety, joy
helfen (a, o, i) help
hell clear, bright, light

das Hemd, -es, -en shirt
her ago, here, hither
herankommen (a, o, o) come
toward
heranlassen (ie, a, ä) let come near,
let approach
herausbringen (a, a, i) bring out,
find out
herausgehen (i, a, e) go out; **aus
sich herausgehen** go out of
oneself, have fun
herauskommen (a, o, o) come
out
heraustreten (a, e, i) step out
herb harsh, astringent
der Herbst, -es, -e fall, autumn
hereinfallen (ie, a, ä) fall for, be
taken in, fall into
hereinkommen (a, o, o) come in
hereinplatzen burst in
hereinziehen (o, o, ie) draw in,
pull in
herkommen (a, o, o) come here
der Herr, -n, -en gentleman
der Herrgott, -s Lord, God
herrichten prepare, put in order
hersetzen (zu mir) sit by me
herüberholen get over, fetch
herüberkommen (a, o, o) come
over
herüberrufen (ie, u, u) call over,
call across
herüberschauen look across
herumkommen (a, o, o) come
around
herumliegen (a, e, ie) lie around
herumsitzen (a, e, i) sit around
herunter down, downward
herunterholen take down
herunterkommen (a, o, o) come
down

herunternehmen (a, o, i) lower, take down
herunterschlucken swallow down
heruntersinken (a, u, i) sink down
hervorbrechen (a, o, i) break forth
hervorstoßen (ie, o, ö) thrust forth, utter
hervorziehen (o, o, ie) pull out
das Herz, -ens, -en heart
die Herzensfreude, -, -n heart's delight, great joy
das Herzklopfen, -s heart beat
herzlich hearty, cordial, affectionate
herzwingen (a, u, i) force near, conjure up
heulen howl, weep, cry
heute today
heutzutage today, nowadays
hier here
hierbleiben (ie, ie, ei) stay, remain
hierhaben have here
der Himmel, -s, - heaven, sky, firmament
hin und her back and forth
hinaufzaubern conjure up
hinaus out
hinausgehen (i, a, e) go out
hinauskommen (a, o, o) come out
hinauskönnen (o, o, a) can get out
hinauslaufen (ie, au, äu) run out
hinausmarschieren march out
hinausmüssen (u, u, u) must go out
hinausschlüpfen slip out
hinaussetzen put out
hineinfahren (u, a, ä) drive in, travel in
hineingehen (i, a, e) go in, enter
hineinhelfen (a, o, i) help into
hineinlangen reach into

hineinpassen fit in
hineinschauen look into, look in at
hineinwagen venture into, dare to
hineinziehen (o, o, ie) move in
hinfallen (ie, a, ä) strike, hit, fall down
hingehen (i, a, e) go thither
hingehören belong to
hinhören listen to
hinkommen (a, o, o) come here, hither
hinmögen (o, o, a) like to go
hinreichen suffice, be sufficient
hinrichten direct, arrange
hinschielen leer at, cast furtive glances at
(sich) hinsetzen sit down
(sich) stellen stand up
hinsummen hum a song; vor sich hinsummen hum (an air) to oneself
hinstrecken stretch out
hinten behind
hinter behind, back
das Hinterland, -es, -e or ¨er hinterland
hintreten (a, e, i) step, go toward
hinüberfahren (u, a, ä) ride over
hinübergehen (i, a, e) go (over)
hinüberwandern walk over
hinunterstoßen (ie, o, ö) push down
hinwegfliegen (o, o, ie) fly off
hinzuspringen (a, u, i) jump to, rush to
hoch high
hochkommen (a, o, o) come up
höchst outmost
höchstens at the most
Hochwürden, -, - Reverend

die **Hochzeit, -, -en** marriage, wedding
die **Höhe, -, -n** height
der **Hof, -es, ⁻e** farm, country house, manor
hoffen hope
die **Hoffnung, -, -en** hope
höflich courteous, polite
die **Höflichkeit, -, -en** courtesy, politeness
holen fetch, get
der **Holländerkäse, -s** Holland cheese
das **Holz, -es, ⁻er** wood
das **Holzfahren, -s** the driving of a cartload of wood
die **Holzverteilung, -, -en** distribution of wood
der **Honig, -s** honey
horchen harken, listen
hören hear
der **Hörer, -s, -** receiver (telephone)
horrend horrible(ly)
die **Hose, -, -n** trousers
hübsch nice, pretty, handsome
der **Humor, -s** humor
die **Hundekälte, -** severe cold (lit. too cold for a dog)
hungrig hungry
hüsteln cough
der **Hut, -es, ⁻e** hat

I

ich I
die **Idee, -, -n** idea, notion
ihm (to) him
ihn him
ihr her

immer always
immerhin in spite of everything, nevertheless, no matter
in in
in Betreff on account of, concerning, as regards
indem whilst, while
der **Indianer, -s, -** Indian (American Indian)
der **Indianerschmuck, -s** costume of an Indian, Indian war paint
innehalten (ie, a, ä) stop
interessant interesting
interessieren to be interested
inzwischen meanwhile
irgendein some, someone, any
irgendwie somehow
irgendwo somewhere, anywhere
irrewerden (u, o, i) get confused, become puzzled, disconcerted
der **Irrtum, -s, ⁻er** error, mistake
Italien Italy

J

ja yes, to be sure
das **Jahr, -es, -e** year
jahrelang yearlong, for years
das **Jahrhundert, -s, -e** century
der **Januar, -s, -e** January
jawohl yes, indeed
je ever; **je ... umso** the ... the
jedenfalls in any case
jeder each, every
jemand someone
jetzt now
jugendlich youthful
jung young
der, die Jüngste, -n, -n the youngest one

K

der Kachelofen, -s, ⸚ tile stove
der Käfig, -s, -e cage
die Käfigstange, -, -n prison bar
kalt cold
der Kamerad, -en, -en comrade
die Kammer, -, -n chamber, room
die Kanzel, -, -n pulpit
die Karotte, -, -n carrot
die Karottenschüssel, -, -n bowl, pot used for carrots
die Kartoffel, -, -n potato
der Kasten, -s, ⸚ box
katholisch Catholic
kaum hardly
der Kauz, -es, ⸚e screech-owl, odd fellow, guy
kehren turn; in sich gekehrt introspective
kehrtmachen turn around
kein(er), -e, -es no, no one
kennen (a, a, e) know
sich kennenlernen get to know
der Kerl, -s, -e fellow, chap
die Kette, -, -n chain
der Kienspan, -s, ⸚e pine torch, taper (nickname of Kienlechner)
das Kind, -es, -er child
der Kinderball, -es, ⸚e child's ball, dance
das Kinderlied, -es, -er nursery rhyme, child's song
kindhaft childlike
kindisch childish
der Kindskopf, -es, ⸚e fool
das Kinn, -s, -e chin
die Kirche, -, -n church
der Kirchgang, -es, ⸚e church going
der Kirchweg, -es, -e path to the church, church walk

das Kittchen, -s, - (slang) prison, jail
der Kittel, -s, - smock, frock
die Klage, -, -n grievance, lament, complaint
klamm tight, close, stiff, clammy
der Klang, -es, ⸚e sound, clang, ring, ringing (of bells)
klar clear
kleiden dress
klein small, little
der, die Kleine, -n, -n little one
klingeln ring the bell
klingen (a, u, i) sound, tinkle, clink, ring
knacken crack
knieen kneel
knirschen gnash, creak
Koburg Coburg (city in Germany)
kochen cook
der Koffer, -s, - trunk, luggage
komisch comical
der Kommandant, -en, -en commandant
kommen (a, o, o) come
das Kompliment, -s, -e compliment
der König, -s, -e king
können (o, o, a) can, be able to
das Konterfei, -s, -e portrait
konventionell conventional
das Konversationslexikon, -s, -lexika encyclopaedia
der Kopf, -es, ⸚e head
kopfhängerisch low-spirited, moody
kopfnickend nodding
der Korkzieher, -s, - corkscrew
die Korngarbe, -, -n sheaf of corn

korrigieren correct
köstlich delicious, wonderful
das Kostüm, -s, -e costume, dress, suit
der Kostümzwang, -s necessity to wear a costume
kräftig strong(ly), mighty, heavy
der Kragen, -s, - or ⸚n collar, neck; **beim Kragen nehmen** take by the neck
krampfhaft convulsive
krank sick
die Kränkung, -, -en grieving, wrong, offending
die Kreatur, -, -en creature
kreischen screach, shriek, scream
die Kreisstadt, -, ⸚e country, town
das Kreuz, -es, -e cross
der Krieg, -es, -e war
kriegen get
das Kriegsjahr, -es, -e war year
der Kriegsmonat, -s, -e month of the war
der Kriegsumstand, -es, ⸚e war situation, war condition
die Krone, -, -n crown
die Krott (more commonly: **die Kröte, -, -n**) toad, little child, girl
die Küche, -, -n kitchen
die Küchentür, -, -en kitchen door
die Kufe, -, -n runner of a sledge
kühl cool
der Kummer, -s grief, sorrow
(sich) kümmern care, concern, worry
die Kunst, -, ⸚e art
der Künstler, -s, - artist
der Kunstmaler, -s, - artist
der Kunstsinn, -s sense for art, taste for art, artistic sense

kurz short
küssen kiss

L

lächeln smile
das Lächeln, -s smile
lachen laugh
das Lachen, -s laugh
die Lächerlichkeit, -, -en absurdity, ridiculousness
lackiert lacquered, taken in
das Lager, -s, - camp
die Lampe, -, -n lamp
das Land, -es, ⸚er country, country side
ländlich rural
die Landschaft, -, -en landscape
lang long
lange a long time
langen reach, be sufficient, be enough, extend
langsam slow
längst long (adv.)
lassen (ie, a, ä) let
die Last, -, -en burden, load
die Laterne, -, -n lantern
laufen (ie, au, äu) run
die Laune, -, -n mood, whim, temper, fancy
laut loud(ly)
lauter clear, pure, only, nothing but
lautlos noiseless, silent
leben live; **Leben Sie wohl!** farewell
das Leben, -s life
lebendig alive
lebenserfahren experienced in life
die Lebensfreudigkeit, -, -en joy of living, enjoyment of life

lebhaft lively
die Lebhaftigkeit, - liveliness, vitality
der Lebtag, -s, -e: meiner Lebtag my life
der Lederriemen, -s, - leather belt
leer empty
legen lay
lehren teach
lehrhaft instructive
leicht light, easy, easily
leichtfertig frivolous, light-minded
leid painful; **es tut mir leid** I am sorry
das Leiden, -s, - suffering, pain
leider sorry
leidlich tolerable
leihen (ie, ie, ei) borrow
der Leim, -s glue; **auf den Leim gehen** fall in a trap, be stuck
die Leinwand, -, -̈e canvas
leise soft(ly)
leisten perform, afford
lernen learn
letzt last
leuchten shine, gleam; **das Leuchten** shining, gleaming
die Leuchtkraft, -, -̈e shining power
die Leute, - people
das Licht, -es, -er light
die Lichteinschränkung, -, -en light-saving
der Lichtschalter, -s, - light-switch
lieb dear, nice
die Liebe, - love
lieber rather; **mein Lieber** my dear
der Liebesgedanke, -ns, -n love thought, romantic idea

liebhaben love; **das Liebhaben** liking, loving
das Lied, -es, -er song
liegen (a, e, ie) lie
links left
die Lippe, -, -n lip
loben praise
das Loch, -es, -̈er hole
das Lokal, -es, -e tavern, restaurant, locality, place, joint
losbringen (a, a, i) loosen, make or get loose
losplatzen burst out
losreißen (i, i, ei) tear loose
loswerden (u, o, i) get rid of
die Luft, -, -̈e air
lügen (o, o, ü) lie
die Lust, -, -̈e joy, delight, desire, pleasure; **Lust haben** like to
die Lustbarkeit, -, -en amusement, entertainment, pleasure
lustig merry, gay, joyful

M

machen make
mächtig mighty, powerful
das Mädchen, -s, - maiden, girl (coll. **das Mädel**)
der Magnet, -s, -e magnet
die Mahlzeit, -, -en meal, mealtime
das Mal, -es, -e time
malen paint
der Maler, -s, - painter, artist
die Malerei, -, -en art of painting, painting
malerisch picturesque. artistic
der Malerkittel, -s, - artist's smock
das Malermeisterlein, -s, - little artist, little master painter

das **Malersein, -s** being a painter
man one
mancher many a
mancherlei many sorts of things
manchmal sometimes
der **Mann, -es, ⁻er** man, husband
männlich manly, valiant
der **Mantel, -s, ⁻** overcoat, topcoat
marschieren march
die **Marke, -, -n** ration stamp
markerschütternd shocking to the
marrow, frightening
der **Markt, -es, ⁻e** market, market
place
der **März, -es, -e** month of March
der **Maschinenteil, -s, -e** machine
part
maßgebend authoritative, responsible, in charge
der **Maulesel, -s, -** mule
das **Mauleselchen, -s, -** little
mule
mäuschenstill quiet as a mouse,
hushed
mausern change, moult
mehr more
mehrenteils most, often, frequently
die **Meile, -, -n** mile
mein mine, my
meinen mean, think, suppose
meinetwegen for my sake, as far
as I am concerned
die **Meinige** my wife; die **Meinigen** my family
meistens mostly
meistenteils for the most part,
usually
melden announce, notify, inform
der **Mensch, -en, -en** man, human
being, person; das **Mensch**
(coll.) wench, hussy

das **Menschengesicht, -s, -er** human face
das **Menschenkind, -es, -er** creature
menschlich human
merken mark, note, observe
die **Messerspitze, -, -n** point of
knife
mich me
die **Milch, -** milk
die **Militärregierung, -, -en**
military government
mir (to) me
die **Mischung, -, -en** mixture
die **Mißbilligung, -, -en** dis-
approval
mißtrauisch suspicious
mit with
miteinander jointly, with one
another
miterleben experience, jointly, together, take part in
das **Mitgefühl, -s** sympathy
mitkommen (a, o, o) come along
das **Mitleid, -s** pity
mitmalen paint in, include in the
painting
die **Mitmenschen, -** fellow men
mitnehmen (a, o, i) take along
der **Mittag, -s, -e** midday
das **Mittagessen, -s, -** midday meal,
lunch
die **Mitte, -** middle
mitteilen communicate, impart
mittun (a, a, u) join, partici-
pate
die **Mode, -, -n** mode, fashion
modern modern
mögen (o, o, a) like, desire, may,
be inclined, want
möglich possible

möglichst schnell   as soon as possible

der Moment, -s, -e   moment

der Montag, -s, -e   Monday

das Moor, -es, -e   moor, swamp

der Morgen, -s, -   morning

müde   tired, weary

Muli pl. of Mulus (der Maulesel, -s, -)   mule

mühsam   strained, wearily, tiredly

München   Munich

der Mund, -es, ⁻er   mouth

murmeln   murmur; vor sich her murmeln   mutter to oneself

müssen (u, u, u)   must, have to, force, oblige

der Müßiggänger, -s, -   idler

die Mutter, -, ⁻   mother

mutwillig   wanton, roguish, naughty

die Mütze, -, -n   cap

die Myrrhe, -, -n   myrrh

N

na   well, come now!

nach   after, toward, to; nach und nach   one after another, by degree, gradually

nachdenken (a, a, e)   meditate, ponder, reflect, think

nachdenklich   reflective, thoughtful, pensive

die Nachforschung, -, -en   investigation, search

nachher   afterwards, later

nachholen   make up

nachkommen (a, o, o)   follow, come after

nachlegen   add to, lay on more

das Nachlegen, -s   stoking

nachlesen (a, e, ie)   look up, read again

der Nachmittag, -s, -e   afternoon

nachpflanzen   replant

nachreservieren   reserve after

die Nachricht, -, -en   news

nachsagen   say of

nachschauen   look up, look

nachsehen (a, e, ie)   look after

nachservieren   serve after

nächst   next

nächstens   shortly, soon

die Nacht, -, ⁻e   night

das Nachtessen, -s, -   night meal

nächtig   nocturnal

nachts   at night, by night

nahe   near; es geht mir nahe   it grieves me

die Nähe, -   nearness, proximity

nähen   sew, stitch

näher   closer

nahestehen (a, a, e)   be closely connected, be close, to stand near

nahetreten (a, e, i)   step close

der Name, -ns, -n   name

nämlich   namely, of course

die Nase, -, -n   nose

der Naseweis, -es, -e   pert, saucy, inquisitive person

naturgemäß   of course, natural(ly)

natürlich   natural

der Nebel, -s, -   mist, fog

neben   beside, near, next to

nee, nein   no (cf. English nay)

nehmen (a, o, i)   take

nein   no

nennen (a, a, e)   name, call

nervös   nervous

nett   nice, pretty, neat

neu   new

neugierig   curious

die **Neuigkeit**, -, -en news
neulich newly, recently
neun nine
die **Nichte**, -, -n niece
nicht not
nichts nothing
nicken nod
nie never
niederblicken look down
niederknieen kneel down
niemals never
niemand no one, nobody
nimmer never
nirgends nowhere
noch still
Norddeutschland North Germany
normalerweise normally
Norwegen Norway
notieren note, make a memorandum, write down
nötig needed, necessary; **nötig haben** need
notwendig necessary
das or **der Nu** instant; **im Nu** in a jiffy, right away
die **Nummer**, -, -n number
nur only
die **Nuß**, ⸚sse nut
der **Nußbaum**, -es, ⸚e nut tree, walnut tree
nützen be of use

O

ob if, whether; **als ob** as if
oben above
der **Oberkörper**, -s, - upper part of the body, torso
obwohl although
oder or

der **Ofen**, -s, ⸚ stove
offenbar apparent, obvious
offengestanden open(ly), honest(ly), frank(ly)
der **Offizier**, -s, -e commisioned officer
öffnen open
oft often
ohne without
das **Ohr**, -es, -en ear
die **Ökonomie**, -, -n farm complex, farm (productive portion of estate)
das **Ölbildnis**, -sses, -sse oil painting
der **Onkel**, -s, - uncle
opfern sacrifice
ordentlich orderly, downright, real
die **Ordnung**, -, -en order; **alles in Ordnung** everything is in order, o.k.

P

(ein) paar a few, several
(ein) paarmal a couple of times, several times
packen pack, take hold of
der **Packen**, -s, - bundle, load
die **Paketpost**, - parcel post
die **Palette**, -, -n palette
das **Papier**, -s, -e paper
die **Pappe**, -, -n cardboard
das **Paradies**, -es, -e paradise
die **Partei**, -, -en party
passen fit, suit
passieren come to pass, happen
die **Pause**, -, -n pause
der **Pelz**, -es, -e fur
der **Pelzmantel**, -s, ⸚ fur coat

die **Person**, -, -en person
persönlich personal
der **Pfarrer**, -s, - minister, parson, preacher, priest
das **Pfarrhaus**, -es, ¨er rectory
das **Pferd**, -es, -e horse
pflegen nurse, tend, take care of, be used to, become accustomed to
der **Pinsel**, -s, - brush, paint brush; (*slang*) dunce, simpleton, duffer
die **Pinselei**, -, -en painting, daubing
die **Plage**, -, -n plague, bother, vexation
die **Plane**, -, -n canvas hood
der **Platz**, -es, ¨e place; **Platz nehmen** take a seat
platzen explode
die **Polizei**, - police
der **Polizeikommissar**, -s, -e police commissioner
polizeilich officially
die **Polizeiuniform**, -, -en police uniform
der **Polizeiwachtmeister**, -, - police sergeant
der **Polizist**, -en, -en policeman
Pommern Pomerania (state in East Germany)
das **Porträt**, -s, -s portrait
der **Postautomann**, -es, ¨er postal delivery van man, postman
das **Postenstehen**, -s being on sentry duty
die **Predigt**, -, -en sermon
der **Preis**, -es, -e price
preisen (ie, ie, ei) praise, extol, laud
pressen press, urge

pressieren be urgent, drive; **es pressiert einem** one is in a hurry
der **Preuße**, -n, -n Prussian
Preußen Prussia (state in Germany)
der **Prinz**, -en, -en prince
die **Prinzessin**, -, -nen princess
probieren try, test, sample
pünktlich punctual, precise, accurate
die **Puppe**, -, -n doll

Q

quer cross-wise, transverse, oblique, diagonal

R

das **Rad**, -es, ¨er wheel
der **Rahmen**, -s, - frame
rar rare
rasch quick(ly)
der **Rat**, -es, ¨e advice, counsel
raten (ie, a, ä) advise, guess, tip off
der **Räuber**, -s, - robber, thief, pirate
rauchen smoke
rauh rough, harsh, rude
der **Raum**, -es, ¨e room, space
räumen clear out; **das Feld räumen** retreat, quit the field
rauschen rush, rustle, roar
recht right, quite; **rechts** to the right; **recht haben** to be right
das **Rechte** the right
rechteckig rectangular
die **Rede**, -, -n speech; **keine Rede** out of the question
regelrecht regular(ly), normal(ly), real(ly), straight, correct(ly), quite

die **Regierung, -, -en** government;
an der Regierung sein be in
power
reiben (ie, ie, ei) rub
reichen reach, suffice, last, hold out
rein pure, clean
die **Reise, -, -n** journey, trip,
voyage
reisen travel, journey
der **Reiseanzug, -s, ⁼e** traveling
costume, suit
das **Reisig, -s** twigs, brushwood
der **Respekt, -s, -e** respect
retten save
(sich) reuen rue, repent, be sorry
for
das **Rezept, -s, -e** recipe, pre-
scription
richten set right, judge, arrange
richtig right, correct(ly), true,
truly, accurate(ly)
der **Riesenrespekt, -s** gigantic
respect
riskieren risk
rosig rosy
das **Roß, -sses, -sse** or **⁼sser** horse
rot red; **rot werden** blush
rückgängig machen break off,
cancel, take back, call off
die **Rücksicht, -, -en** respect,
regard, consideration
die **Rücksprache, -, -n** conference,
consultation, talk
die **Rückwand, -, ⁼e** back wall,
rear wall
reiben (ie, ie, ei) grate, rub
rufen (ie, u, u) call
die **Rufweite, -** earshot
ruhen rest; **in Ruhe lassen** leave
in peace
ruhig calm(ly)

rund round
'runter = herunter down, downward
der **Russe, -n, -n** Russian
Rußland Russia

S

die **Sache, -, -n** thing, cause,
affair, case, concern
sagen say
der **Sandhaufen, -s** sand pile
sanft soft, gentle
der **Sarg, -es, ⁼e** coffin
sättigen satisfy, satiate, saturate;
gesättigt satisfied
sauer sour, cross, morose, peevish
schade (das ist . . .) (that's) too bad
schaden harm
der **Schaden, -s, ⁼** damage, injury,
harm
schaffen create, produce, do,
manage, accomplish
schallen sound, resound, ring
sich schämen be ashamed of
scharf sharp
der **Schatten, -s, -** shadow, shade
der **Schauder, -s, -** shudder, shiver
(of cold or horror)
schaudern shudder, shiver
schauen look, behold, see
scheinen (ie, ie, ei) shine, seem,
appear, look
schenken give, present
die **Scheu, -** shyness
schicken send
schieben (o, o, ie) shove, push,
slide, move
das **Schiff, -es, -e** ship
schimpfen scold, grumble
die **Schläfe, -, -n** temple

schlagen (u, a, ä) beat, strike
die Schlange, -, -n snake
schlank slim, slender, tall, lank
schlau sly, cunning, crafty
der Schlaumeier, -s, - smart guy,
   sly fellow
schlecht bad, wicked, base
das Schlechte, -n the bad
der Schlesier, -s, - Silesian (in-
   habitant of Silesia, former state in
   Germany)
schließen (o, o, ie) close
schließlich finally, in the end
schlimm bad; das Schlimme, -n
   evil, the bad thing
der Schlitten, -s, - sleigh
die Schlittenfahrt, -, -en   sleigh
   ride
das Schloß, -sses, ¨sser castle
der Schluck, -s, - or ¨e sip, mouthful
der Schlüssel, -s, - key
schmal thin, slender
schmerzlich painful, grievous
schminken powder, color, paint
schmutzig dirty
der Schnabel, -s, ¨ beak, mouth
der Schnaps, -es, ¨e whiskey,
   brandy; das Schnäpschen glass
   of whiskey or brandy
das Schnapsglas, -es, ¨er whiskey
   or brandy glass
der Schnee, -s snow
das Schneedunkel, -s snowy dark
die Schneeflockendämmerung, -,
   -en snowflake twilight
das Schneegestöber, -s, - snow
   storm, snow drifts
die Schneewolke, -, -n   snow
   cloud
der Schneewolkenhimmel, -s, -
   sky full of snow clouds

schneiden (i, i, ei) cut, carve
schneien snow
schnell fast
schon already
schön handsome, good-looking,
   beautiful, pretty, attractive, nice;
   das Schöne, -n (something) nice
schonen save, spare, treat with
   consideration
schonungslos pitiless(ly)
schrecklich terrible(ly), horrible(ly)
schreiben (ie, ie, ei) write
der Schreibtisch, -es, -e writing
   desk
schreien (ie, ie, ei) scream, shout,
   yell
der Schritt, -es, -e step, stride, pace
der Schuh, -es, -e shoe
schuldig guilty; schuldig sein to
   owe, be responsible
der Schuldige, -n, -n culprit
der Schuldiger, -s, - debtor
die Schule, -, -n school
das Schulkind, -es, -er school-
   child
die Schulter, -, -n shoulder
die Schüssel, -, -n bowl, dish
schütteln shake
der Schwager, -s, ¨ brother-in-law
schwärmerisch enthusiastic, sentimental; das Schwärmerische, -n
   something sentimental
schwarz black
schwätzen chatter
die Schwatzliesel, - chatter box
schweigen (ie, ie, ei) be silent;
   das Schweigen, -s silence
die Schwelle, -, -n threshold
schwer difficult, heavy(ly), hard(ly);
   das Schwere, -n load weight,
   heaviness, difficulty

das **Schwert, -es, -er** sword
die **Schwester, -, -n** sister
der **Schwindel, -s, -** swindle, fraud
sechsköpfig six-headed
sechsunddreißig thirty-six
sechzehn sixteen
die **Seele, -, -n** soul
der **Segen, -s, -** blessing
sehen (a, e, ie) see
die **Sehnsucht, -, -e** desire, longing
sehnsüchtig longing(ly), yearning
(ly)
sehr very
der **Seidenshawl, -s, -s** silk shawl
sein (war, ist gewesen, ist) be
sein(er) his, hers, its
seit since; **seit kurzem** lately
die **Seite, -, -n** side
selb(er), selbst self, same
die **Selbstbefangenheit, -** self-
adulation, self-satisfaction
selig blessed, happy, deceased, late
seltsam strange
seufzen sigh
der **Seufzer, -s, -** sigh
sich himself, herself, itself, them-
selves, yourself, yourselves
sicher sure, safe, certainly
die **Sicherheit, -, -en** safety,
certainty
sichtbarlich visibly
sieben seven
siebenundzwanzig twenty-seven
siebzehnjährig seventeen years old
das **Silber, -s** silver
silbern (of) silver
singen (a, u, i) sing
der **Sinn, -es, -e** sense, meaning
sitzen (a, e, i) sit; das **Sitzen, -s**
sitting, meeting
so thus, so

sobald as soon as
soeben just
so etwas such a thing, something
like that
sogar even
solange as long as
solch(er) such (a)
der **Soldat, -en, -en** soldier; das
Soldatsein, -s being a soldier
die **Soldatenzeit, -, -en** army days
sollen be obliged to, have to, ought,
must
sondern but
die **Sonne, -n** sun
sonnig sunny
der **Sonntag, -s, -e** Sunday
der **Sonntagvormittag, -s, -e** Sunday morning
sonst else, otherwise
die **Sorge, -, -n** care, anxiety, concern, grief, sorrow
sorgen worry about, attend to,
look after, care for
soviel so much, so far
sowieso anyhow, at any rate, in
any case
der **Spanier, -s, -** Spaniard
spät late
spazierengehen take a walk. *See*
gehen
der **Spaziergang, -s, -e** walk, stroll
der **Speicher, -s, -** storage room,
attic
die **Speise, -, -n** food, meal, course
(sich) spiegeln reflect (itself), mirror (itself), look at oneself as in a
mirror
spontan spontaneous
der **Spott, -es** mockery
spotten jeer at, mock, deride, rid-
icule

die **Sprache, -, -n** speech, language

sprechen (a, o, i) speak; **auf etwas zu sprechen kommen** happen to talk about something

der **Sprung, -es, ⸚e** jump, spring

die **Spur, -, -en** trace, clue

spüren trace, track, feel, perceive

der **Staat, -es, -en** state

die **Stadt, -, ⸚e** city

das **Stadtkind, -es, -er** city dweller

der **Stadtmantel, -s, ⸚** coat worn to city

der **Stadtplan, -s, ⸚e** city plan

die **Staffelei, -, -en** easel

der **Stahl, -es** steel

der **Stall, -s, ⸚e** stable, stall

die **Stange, -, -n** pole, stick; **eine Stange Gold** lots of money

stark strong

starren stare at

stattlich stately, distinguished, portly

stäuben powder, dust

stecken stick, put

das **Steckkissen, -s, -** baby's pillow

stehen (a, a, e) stand

stehenbleiben (ie, ie, ei) stop, remain, standing

stehlen (a, o, ie) steal

steigen (ie, ie, ei) mount, ascend, climb, rise; **auf ein Schiff steigen** go on board

der **Stein, -es, -e** stone

der **Steinwurf, -s, ⸚e** stone's throw

stellen place

sterben (a, o, i) die

der **Stern, -es, -e** star

sternhagelvoll deliriously drunk, drunk enough to see stars

der **Stiefel, -s, -** boot

still quiet, still

die **Stille, -** stillness, silence, tranquility

die **Stimme, -, -n** voice

die **Stimmung, -, -en** mood, humor, state of mind

stimmen: (es) stimmt (impers.) that's right

die **Stirn, -, -en** forehead

stocksteif stiff as a board

stolz proud

stören disturb, interrupt, trouble, annoy

der **Strahl, -es, -en** ray, beam

strahlen radiate, beam, shine

die **Straße, -, -n** street

streichen (i, i, ei) strip, skin

die **Streiferei, -, -en** roaming

der **Streit, -es, -e** quarrel, strife

streiten (i, i, ei) fight, quarrel, dispute, argue, disagree

streng strict(ly), austere(ly), stern(ly)

der **Strick, -es, -e** cord, rope; **einen Strick drehen** twist a rope, make trouble, lay a trap

der **Strom, -es, ⸚e** stream

die **Stromsperre, -, -n** power failure, cutting off electric current

der **Stromtag, -es, -e** the day when the electric current is on

strümpfestopfend mending socks or stockings

das **Stück, -es, -e** piece, play

die **Studienzeit, -, -en** student days, college days

der **Stuhl, -es, ⸚e** chair

stumm silent, mute

die **Stunde, -, -n** hour

summen hum

die **Sünde, -, -n** sin

der **Sünder, -s, -** sinner, culprit

süß sweet

T

das Tablett, -s, -e tray
der Tag, -es, -e˙ day
der Tageslauf, -s, ⁼e course of the
day
die Tante, -, -n aunt
tanzen dance
die Tänzerei, -, -en dancing, dance
das Tanzfest, -es, -e dance party
das Tanzvergnügen, -s, - dance
party
das Taschenbuch, -es, ⁼er pocket-
book, notebook
die Tatsache, -, -n fact
tatsächlich actual, real
taub deaf
die Täuschung, -, -en deception,
illusion
tausend thousand
der Tee, -s, -s tea
teilnahmsvoll sympathetic
der Telefonapparat, -s, -e telephone
die Telefonschnur, -, ⁼e telephone cord
der Teller, -s, - plate
das Temperament, -s, -e temperament
der Teppichklopfer, -s, - carpet
beater
teuer dear
der Teufel, -s, - devil
tief deep
der Tisch, -es, -e table
das Tischtuch, -es, ⁼er tablecloth
der Titel, -s, - title
die Tochter, -, ⁼ daughter
der Tod, -es death
todestraurig very sad, deathly
sad

tödlich fatal, deadly, mortal
der Ton, -es, ⁼e tone, sound, tone
of voice
die Tonne, -, -n barrel, large
cask
das Töten, -s killing
tragen (u, a, ä) carry, bear,
wear
traktieren treat, entertain
die Trambahn, -, -en streetcar
der Transport, -s, -e transport
die Träne, -, -n tear
der Trauerfall, -s, ⁼e sad event,
case of death
traurig sad
die Traurigkeit, - sadness
der Traum, -es, ⁼e dream
das Traumbild, -es, -er vision,
phantom, illusion
träumen dream
trauen trust
die Trauung, -, -en wedding
treffen (a, o, i) hit; das ist gut
getroffen that's well done
trennen separate
treten (a, e, i) go, step
das Treusein, -s being faithful,
loyal
trinken (a, u, i) drink
triumphierend triumphantly
sich trollen go away, get along,
move on
trotzdem in spite of it, nevertheless
trübselig bleak, gloomy
das Tuch, -es, ⁼er cloth
tüchtig able, efficient, busy, busily;
tüchtig warm real warm, good
and warm
tun (a, a, u) do
die Tür, -, -en door

U

über over, above

überall everywhere, all over, throughout; **überall hin** everywhere

überfragen ask too much

übergeben (a, e, i) give up to, deliver over to

übergehen (i, a, e) go over to, transmit to

überhaupt generally, really, anyhow, at all

überlegen ponder, reflect, consider

übermäßig excessive, exorbitant

übermütig haughty, in high spirits, playful

der Übername, -ns, -n nickname

überschlank too slender

übersehen (a, e, ie) overlook

überströmen overflow

übertreiben (ie, ie, ei) exaggerate, overdo

überwuchern grow over

überzeugen convince

die Überzeugung, -, -en conviction

übrig other, remaining; **übrig haben** care for, think much of

übrigens by the way, à propos

um about, round, around; **es geht um** it's a matter of

umarmen embrace, hug

die Umarmung, -, -en embrace

umgekleidet changed

umschnüren tie up, lace, strap around

umsonst in vain, for nothing

der Umstand, -es, -̈e circumstance; **ohne Umstände** without ceremony

umständlich ceremonious, circumstantial, careful

umtun (a, a, u) put around, put on

sich umwenden (a, a, e) turn around

sich umziehen (o, o, ie) change (one's clothes)

unanständig improper, indecent

unauffällig obtrusive(ly), unnoticeable(ly)

unbedingt unconditional(ly), absolute(ly), sure(ly), certain(ly)

unbegreiflich inconceivable(ly)

unbekannt unknown

unbeschaut unseen, on one's word

unbeschreiblich indescribable(ly)

unbewußt unconscious(ly), unknown, unknowingly

und and

die Unehrlichkeit, - dishonesty

ungeduldig impatient(ly)

ungefähr almost, about, approximate(ly)

ungehalten angry, displeased, annoyed

ungeniert unembarrassed, openly, frankly

ungeschaut without having seen (it), sight unseen

ungestopft not mended

unglaublich incredible(ly), unbelievable(ly)

unglücklich unhappy, unhappily

die Unglücksnachricht, -, -en bad news

ungnädig ungracious(ly), angry, angrily

ungünstig unfavorable(ly)

ungut bad

das **Unheil, -s** disaster, trouble
der **Unmensch, -en, -en** inhuman person, monster
unmöglich impossible(ly)
das **Unrecht, -s** wrong, injustice, error
unruhig unquiet(ly), restless(ly)
unschuldig innocent(ly)
unser our; **unsereiner** such as we, people like us
der **Unsinn, -s** nonsense, folly
unter under, among
sich **unterhalten (ie, a, ä)** converse, talk
unterscheidbar distinguishable
die **Untersuchungshaft, -** detention
unterwegs on the way
die **Untreue, -** faithlessness; **eine Untreue begehen** to commit an act of faithlessness
unverschämt shameless(ly), impudent(ly)
unwiederbringlich irretrievable(ly) irreparable(ly); das **Unwiederbringliche, -n** the irreparable
unwillig unwilling(ly), reluctant(ly)
unwillkürlich instinctive(ly), involuntary, involuntarily
unwirsch cross(ly), brusque(ly), cranky, crankily
unzufrieden dissatisfied
die **Unzuverlässigkeit** unreliability
uralt very old, ancient
usw. (und so weiter) etc., and so on

V

der **Vater, -s, ⸚** father

die **Väterlichkeit, -** paternal manner, fatherliness
väterlich paternal, fatherly
verabreden make a date, make an appointment
sich **verabschieden** take leave, say farewell
sich **verändern** change
verbergen (a, o, i) hide, conceal
verbeugen bow
das **Verborgene, -n** concealed
verbrauchen consume, spend, use up
verbrutzeln burn, dry up
der **Verdacht, -s** suspicion
verdächtigen suspect
verdammt damned, darn it
das **Verdienst, -es, -e** merit, profit, earnings, wages
verdrehen twist, turn; **einem den Kopf verdrehen** turn one's head
vereinbaren agree (upon something)
verfinstern darken, obscure; **verfinstertes Gesicht** gloomy face
die **Vergangenheit, -** past
vergessen (a, e, i) forget
vergleichen (i, i, ei) compare
das **Vergnügen, -s, -** pleasure
sich **vergnügen** have a good time
vergnügt pleased, happy
verhalten (ie, a, ä) restrain, control, master, repress, be, be the case
sich **verhalten (ie, a, ä)** behave, be in a certain position, stand
das **Verhältnis, -sses, -sse** relation, relationship, condition
verheiratet married
verhungern starve
verirren err, go astray

verkaufen sell
das Verlangen, -s, - wish, desire
sich verlassen (auf) (ie, a, ä) rely on
verlegen embarrassed
die Verlegenheit, - embarrassment
verliebt enamoured, in love
sich verlieben fall in love
verlieren (o, o, ie) lose
(sich) verloben betroth, engage
vermutlich presumable(ly), probable(ly)
vernünftig reasonable, sensible
die Verpflegung, -, -en nursing, maintenance, provision, food
der Verpflegungsobmann, -es, ¨er maintenance chief, foreman
verpflichtet indebted, obliged
die Verpflichtung, -, -en obligation, duty
verraten (ie, a, ä) betray
verreisen travel, go on a journey, leave
verrückt crazy, cracked, mad, foolish
versäumen miss, be absent, neglect
verschieben (o, o, ie) shift, postpone
verschieden different, unlike
verschiedenerlei of different kinds, sundry, diverse
verschlafen (ie, a, ä) be sleepy, drowsy, dreamy
verschließen (o, o, ie) lock up; verschlossen (of a face) expressionless
verschwinden (a, u, i) disappear
versichern assure
versprechen (a, o, i) promise
verstehen (a, a, e) understand

verstorben (a, o, i) dead, deceased; verstorben late
sich verstricken get mixed up, involved
versuchen try, attempt
die Versunkenheit, - absorption (in thoughts, dreams)
das Vertrauen, -s trust, confidence
sich vertiefen deepen, be absorbed
vertragen (u, a, ä) agree, bear, suffer, endure; sich vertragen agree, be compatible
verwahren guard, secure, keep, save
die Verwahrung, -, -en keeping, guarding
verwechseln mix up, mistake, change by mistake
verweigern refuse, deny
verwirklichen realize
verwöhnen spoil
verwundern astonish, surprise
verzaubern bewitch
verzeihen (ie, ie, ei) forgive, excuse, pardon
viel much
vielleicht perhaps, maybe
vielmals many times
vielmehr rather, much more
vier four
viertens fourthly
vierzig forty
der Vogel, -s, ¨ bird
voll full; (physical appearance) well-rounded; voller full of
völlig complete, entire, full
vollschenken fill
von from, of; von sich aus by oneself, on one's own initiative; von vornherein from the first, at first, as a matter of course

von weitem from afar
vor before, to; **vor sich hin reden** talk to oneself, mumble; **vor sich hin singen** sing
voraus: im voraus in advance, ahead
vorauslaufen (ie, au, äu) run ahead
vorbei along, by, past, over
vorbeigehen (i, a, e) pass
vorbereiten prepare
vorbeugen bend forward
vorenthalten (ie, a, ä) withhold, keep back from
vorher earlier, previously
der Vorgang, -s, ⁀e proceeding, event
vorgehen (i, a, e) proceed
vorkommen (a, o, o) happen, occur, take place
die Vorladung, -, -en summons
vorliegen (a, e, ie) charge against
vormachen take in, fool, pretend
vorne in front, before
die Vornehmheit, - distinction, air of distinction
der Vorplatz, -es, ⁀e front place, hall, vestibule
vorrechnen calculate, figure, compute, show
vorstellen introduce, present; **sich vorstellen** imagine, conceive, think
vorschwindeln swindle, fool
vorsichtig cautious
der Vorwand, -s, ⁀e pretext, excuse
vorwitzig inquisitive, prying, pert, impertinent, precocious, smartalecky

W

wach sein be awake, be aware

wachen watch, guard
wachsen (u, a, ä) grow
das Wachsen, -s growth
der Wachtmeister, -s, - policeman, gendarm
wahr true
während while
wahrhaftig truly; **wahrhaftiger Gott!** Lord knows!
die Wahrheitsermittlung, -, -en search for truth
wahrscheinlich likely, probable
der Wald, -es, ⁀er woods, forest
wanderburschenhaft free and easy, youthful, carefree
wann when
die Wärme, - warmth, heat
warm warm, affectionate; **das Warme, -n** something warm
warnen warn
weder . . . noch neither . . . nor
warten wait
das Warten, -s waiting
warum why
was what
waschen (u, a, ä) wash
wäschestopfen mend clothes
das Wasser, -s, - water
die Wasserkaraffe, -, -n water carafe, decanter
wechseln change
der Wecker, -s, - alarm clock
weg away
der Weg, -es, -e way
wegdenken (a, a, e) get out of thoughts, remove from one's mind
wegen on account of, because of
wegfahren (u, a, ä) drive away, leave, go away
das Weggehen, -s departure, leaving

weggehen (i, a, e) go away from
wegholen fetch away, take away
wegkommen get away, disappear
wegräumen put away, clear away,
  remove
wegtauen melt away
weh tun (a, a, u) hurt
wehe woe
die Wehrmacht, - armed forces
das Weib, -es, -er woman
Weihnachten Christmas
der Weihrauch, -es incense
weil because
die Weile, - a while, for a while
der Wein, -es, -e wine
weinen weep
die Weinflasche, -, -n bottle of
  wine
weise wise
die Weise, -, -n manner, way; **in
  keiner Weise** in no wise
das Weisheitsorakel, -s, - oracle
  of wisdom
weißhaarig white-haired
der Weißwein, -es, ·-e white
  wine
weit far, wide; **weit gefehlt** far
  from it
weiter further, more
weiterfahren (u, a, ä) go on to
weitergehen (i, a, e) walk on, go
  on
weiterleben live on
weitersprechen (a, o, i) talk on
die Welt, -, -en world
weltentlegen remote from the
  world, secluded
wenden (a, a, e) turn
wenig little, small, few, seldom
das Wenigste, -n the least
wenigstens at least

wenn when
wer who
werden (u, o, i) become, grow
wert worth
die Wertsachen, - valuables
das Wesen, -s, - character, being,
  nature, creature
wetten bet, wager
das Wetter, -s, - weather, storm
wichtig weighty, important, serious
widerrechtlich illegal(ly), unright-
  eous(ly)
widersinnig absurd, paradoxical
widerspenstig recalcitrant, ob-
  stinate
widersprechen contradict
wie how, in what way; **wieso**
  how so, why so
wieder again
wiedergeben (a, e, i) give back,
  return
wiederholbar repeatable
wiederkommen (a, o, o) return
auf Wiedersehen good-bye
wiegen rock (a cradle); **wiegend**
  swaying, rocking, bending
wiegen (o, o, ie) weigh
der Wille, -ns will
die Windel, -, -n diaper
der Winkel, -s, - angle, corner,
  nook
der Winterabend, -s, -e winter
  evening
die Winterkomödie, -, -n winter
  comedy
die Winternacht, -, ⁻e winter
  night
der Wintervormittag, -s, -e winter
  forenoon
wirken effect, work
wirklich actual, real(ly)

die **Wirklichkeit, -, -en** reality
wischen wipe
wissen (u, u, ei) know
der **Witz, -es, -e** wit, joke
wo where
woanders somewhere else, elsewhere
die **Woche, -, -n** week; **vor Wochen** weeks ago
woher whence, from where; **wohin** where
wohl to be sure, well
das **Wohl, -es** weal, welfare, health; **auf Ihr Wohl** here's to you
wohlbekannt well-known
wohltun (a, a, u) do good
wohlwollen wish well
wohnen live, reside, dwell
wohnlich comfortable
der **Wohnraum, -es, ⁼e** living space
das **Wohnzimmer, -s, -** living-room, sitting-room
die **Wolke, -, -n** cloud
wollen wish, will, desire, want, like
womit with which
womöglich very likely, probably
das **Wort, -es, ⁼er** word; die **Worte** (pl.) connected words in context
das **Wunder, -s, -** wonder, miracle
wunderbar wonderful
das **Wunderland, -es, ⁼er** wonderland
sich **wundern** wonder, be surprised
wunderschön very beautiful
der **Wundertäter, -s, -** wonder worker, saint

der **Wunsch, -es, ⁼e** wish, desire
wünschen wish
die **Wunschmütze, -, -n** magic cap
wuppdich in a jiffy, whoops!

Z

zahlen pay
die **Zartheit, -** tenderness, softness
zaubern charm, practice magic
zehn ten
zehnmal ten times
zeigen show
die **Zeit, -, -en** time
eine **Zeitlang** a while
zerreißen (i, i, ei) tear up, tear to pieces
zersplittern splinter, scatter
zerstören destroy
zerstreut absent-minded
ziehen (o, o, ie) draw, pull, move
ziemlich rather, fairly
die **Zigarette, -, -n** cigaret
das **Zimmer, -s, -** room, chamber
die **Zimmerdecke, -, -n** ceiling
sich **zivilisieren** become civilized
zögernd hesitatingly
zoologisch zoological
zornig angry
zu to, at
zucken wink, blink, quiver
zudringlich impertinent, obtrusive
zuerst at first, first
zufällig accidental(ly), per chance
zufrieden content, satisfied, happy, pleased
der **Zug, -es, ⁼e** train; trait, (facial) feature
zugeben (a, e, i) admit, concede
zugehen (i, a, e) go toward

zugrundegehen (i, a, e) go to ruin, go to pieces, perish
zuhören listen to
zulächeln smile at
zulangen help oneself to
zulassen (ie, a, ä) permit, allow
zum Beispiel for example
zumute sein feel
zunehmen (a, o, i) increase
zunicken nod to
zurück back
zurückbekommen (a, o, o) get back, recover
zurückgehen (i, a, e) go back
zurückhalten (ie, a, ä) hold back
zurückkommen (a, o, o) return, come back; **das Zurückkommen, -s** return
zurückschicken send back
zusammen together
die Zusammenfügung, - joining together
zusammenhängen (i, a, ä) hang together, connect
zusammenräumen clear away
zusammenreimen figure out, make out, make head or tail of

zusammentreffen (a, o, i) meet, encounter
zuschieben (o, o, ie) shove or push to, toward; blame for
zuschneien snow in, snow up
zusperren close, bar
zuspringen (a, u, i) spring toward
zustandebringen (a, a, i) achieve, accomplish
die Zustimmung, - agreement, consent
sich zutragen (u, a, ä) happen, come to pass, take place
zutrauen believe in, trust, be capable of
zutrinken (a, u, i) drink to, toast
zuverlässig reliable
die Zuversicht, - confidence, reliance, trust
zuversichtlich confident
zuvor before, previously, beforehand
zwar to be sure, truly, indeed
zweckdienlich suitable, useful, to the purpose
zwei two
zweifeln doubt
zweitens secondly